Sous Vide Chef

Maîtrisez l'Art de la Cuisson Sous Vide

Julien Lambert

Contenu

Omelette de boeuf haché

Temps de préparation + cuisson : 35 minutes | Portions : 3

Ingrédients:

1 tasse de bœuf haché maigre

¼ tasse d'oignon finement haché

¼ cuillère à café de thym séché, moulu

½ cuillère à café d'origan séché, moulu

Sel et poivre noir au goût

1 cuillère à soupe d'huile d'olive

Itinéraire:

Faites chauffer l'huile dans une poêle à feu moyen. Ajouter l'oignon et faire sauter pendant environ 3-4 minutes ou jusqu'à ce qu'il soit translucide. Ajouter le bœuf haché et cuire 5 minutes en remuant de temps en temps. Saupoudrer de sel, poivre, thym et origan. Bien mélanger et cuire encore une minute. Retirer du feu et mettre de côté.

Préparez un bain-marie et placez-y le sous vide. Réglez à 170F. Battez les œufs dans un bol moyen et versez dans un sac hermétique. Ajouter le mélange de bœuf haché. Libérez l'air en utilisant la méthode de déplacement d'eau et scellez le sac.

Plongez le sac dans le bain-marie et réglez la minuterie sur 15 minutes. A l'aide d'un gant, massez le sachet toutes les 5 minutes pour assurer une cuisson homogène. Une fois le minuteur arrêté, retirez le sachet du bain-marie et transférez l'omelette dans une assiette de service.

Frittata végétarienne facile

Temps de préparation + cuisson : 1 heure 40 minutes | Portions : 5

Ingrédients

1 cuillère à soupe d'huile d'olive

1 oignon moyen, finement haché

Sel au goût

4 gousses d'ail émincées

1 daïkon, pelé et coupé en dés

2 carottes pelées et coupées en dés

1 panais, pelé et coupé en dés

1 tasse de courge musquée, pelée et coupée en dés

6 onces de pleurotes, hachés

¼ tasse de feuilles de persil, fraîchement hachées

Une pincée de flocons de piment rouge

5 gros œufs

¼ tasse de lait entier

Itinéraires

Préparez un bain-marie et placez-y le sous vide. Réglez à 175F. Graisser quelques bouteilles avec de l'huile. Vous le mettez de côté, vous l'ignorez.

Faites chauffer une poêle avec de l'huile à feu vif. Ajoutez l'oignon rouge pendant 5 minutes. Ajouter l'ail et cuire 30 secondes. Assaisonnez avec du sel. Mélangez les carottes, le daikon, la courge et les panais. Assaisonner de sel et cuire encore 10 minutes. Ajouter les champignons et assaisonner avec les flocons de piment et le persil. Cuire 5 minutes.

Battez les œufs et le lait dans un bol, salez. Séparez le mélange entre les bocaux avec les légumes. Fermez et plongez les pots dans le bain-marie. Cuire 60 minutes. Une fois le chronomètre arrêté, retirez les bouteilles. Laisser refroidir et servir.

Sandwich à l'avocat et aux œufs

Temps de préparation + cuisson : 70 minutes | Portions : 4

Ingrédients:

8 tranches de pain

4 œufs

1 avocat

1 cuillère à café de paprika

4 cuillères à café de sauce hollandaise

1 cuillère à soupe de persil haché

Sel et poivre noir au goût

Itinéraire:

Préparez un bain-marie et placez-y le sous vide. Réglez sur 145F. Retirez la chair de l'avocat et écrasez-la. Incorporer la sauce et les épices. Placez les œufs dans un sac hermétique. Libérez l'air en utilisant la méthode de déplacement d'eau, scellez et plongez le sac dans un bain-marie. Réglez la minuterie sur 1 heure.

Une fois terminé, mettez-le immédiatement dans un bain de glace pour qu'il refroidisse. Épluchez et coupez les œufs en tranches. Tartiner la moitié des tranches d'œufs avec la purée d'avocat et tartiner de tranches d'œufs. Disposez dessus les tranches de pain restantes.

Oeufs farcis

Temps de préparation + cuisson : 75 minutes | Portions : 6

Ingrédients:

6 œufs

Jus de 1 citron

2 cuillères à soupe de persil haché

1 tomate, hachée

2 cuillères à soupe d'olives noires hachées

1 cuillère à soupe de yaourt

1 cuillère à soupe d'huile d'olive

1 cuillère à café de moutarde

1 cuillère à café de poudre de chili

Itinéraire:

Préparez un bain-marie et placez-y le sous vide. Réglez à 170F. Placez les œufs dans un sac hermétique. Libérez l'air en utilisant la méthode de déplacement d'eau, scellez et plongez le sac dans un bain-marie. Réglez la minuterie sur 1 heure.

Une fois terminé, sortez le sac et mettez-le dans un bain de glace pour le refroidir et le peler. Coupez-le en deux et récupérez le jaune.

Ajoutez le reste des ingrédients au jaune et mélangez. Remplissez les œufs avec le mélange.

Œufs durs

Temps de préparation + cuisson : 1 heure 10 minutes | Portions : 3

Ingrédients:

3 gros œufs
Bain de glace

Itinéraire:

Préparez un bain-marie, insérez Sous Vide et réglez à 165F. Placez les œufs dans le bain-marie et réglez la minuterie sur 1 heure.

Une fois le minuteur arrêté, transférez les œufs dans un bain de glace. Épluchez les œufs. Servir en collation ou en salade.

Les oeufs marinés

Temps de préparation + cuisson : 2 heures 10 minutes | Portions : 6

Ingrédients:

6 œufs

1 cuillère à soupe de poivre

Jus d'une boîte de betteraves

1 tasse de vinaigre

½ cuillère à soupe de sel

2 gousses d'ail

1 feuille de laurier

¼ tasse) de sucre

Itinéraire:

Préparez un bain-marie et placez-y le sous vide. Réglez à 170F. Plongez délicatement les œufs dans l'eau et laissez cuire 1 heure. À l'aide d'une écumoire, transférez-les dans un grand bol d'eau glacée et laissez-les refroidir quelques minutes. Épluchez-le et mettez-le dans un pot Mason d'un litre avec un couvercle à charnière.

Mélangez les autres ingrédients dans un petit bol. Versez les œufs dessus, fermez-le et plongez-le dans le bain. Cuire 1 heure. Retirer le plat du bain-marie et laisser refroidir à température ambiante.

Œufs mous et chili

Temps de préparation + cuisson : 60 minutes | Portions : 5

Ingrédients:

1 cuillère à soupe de poudre de chili

5 œufs

Sel et poivre noir au goût

Itinéraire:

Préparez un bain-marie et placez-y le sous vide. Réglez sur 147F. Placez les œufs dans un sac hermétique. Libérez l'air en utilisant la méthode de déplacement d'eau, scellez et plongez dans le bain. Cuire 50 minutes.

Une fois la minuterie arrêtée, retirez le sac et placez-le dans un bain de glace pour refroidir et prendre. Saupoudrer les œufs d'épices et servir.

Oeufs Benedek

Temps de préparation + cuisson : 70 minutes | Portions : 4

Ingrédients:

4 œufs

3 onces de bacon, tranché

5 cuillères à soupe de sauce hollandaise

4 muffins aux biscuits

Sel et poivre noir au goût

Itinéraire:

Préparez un bain-marie et placez-y le sous vide. Réglez sur 150F. Placez les œufs dans un sac hermétique. Libérez l'air en utilisant la méthode de déplacement d'eau, scellez et plongez le sac dans le bain-marie. Réglez la minuterie sur 1 heure.

Une fois le chronomètre arrêté, retirez le sac et séparez-le. Épluchez les œufs et disposez-les sur les muffins. Arrosez de sauce et saupoudrez de sel et de poivre. Garnir de bacon.

Oeufs brouillés à l'aneth et au curcuma

Temps de préparation + cuisson : 35 minutes | Portions : 8

Ingrédients:

8 oeufs

1 cuillère à soupe de poudre de curcuma

¼ tasse d'aneth

1 cuillère à café de sel

Une pincée de paprika

Itinéraire:

Préparez un bain-marie et placez-y le sous vide. Réglez sur 165F. Battez les œufs dans un bol avec les autres ingrédients. Transférer dans un sac thermoscellable. Libérez l'air en utilisant la méthode de déplacement d'eau, scellez et plongez le sac dans un bain-marie. Réglez la minuterie sur 15 minutes.

Une fois le minuteur arrêté, retirez le sachet et massez-le doucement pour le fixer. Cuire encore 15 minutes. Retirez délicatement le sac de l'eau. Servir chaud.

Oeuf poché

Temps de préparation + cuisson : 65 minutes | Portions : 4

Ingrédients:

4 tasses d'eau

4 oeufs paprika

1 cuillère à soupe de mayonnaise

Sel et poivre noir au goût

Itinéraire:

Préparez un bain-marie et placez-y le sous vide. Réglez sur 145F. Placez les œufs dans un sac hermétique. Libérez l'air en utilisant la méthode de déplacement d'eau, fermez et immergez le bain. Réglez la minuterie sur 55 minutes.

Une fois le minuteur arrêté, retirez le sac et transférez-le dans un bain de glace pour refroidir et peler. Pendant ce temps, faites bouillir l'eau dans une casserole. Ajoutez les œufs écalés et laissez cuire une minute. Pendant que l'œuf cuit, mélangez les autres ingrédients. Saupoudrer d'œufs.

Oeufs au bacon

Temps de préparation + cuisson : 7 heures 15 minutes | Portions : 4

Ingrédients:

4 œufs durs

1 cuillère à café de beurre

7 onces de bacon, tranché

1 cuillère à soupe de moutarde de Dijon

4 onces de fromage mozzarella, tranché

Sel et poivre noir au goût

Itinéraire:

Préparez un bain-marie et placez-y le sous vide. Réglez à 140F. Frotter le bacon avec du beurre et du poivre. Placez une tranche de fromage mozzarella sur chaque œuf et enveloppez les œufs et le fromage dans du bacon.

Tartinez-le de moutarde et placez-le dans un sac sous vide. Libérez l'air en utilisant la méthode de déplacement d'eau, scellez et plongez le sac dans un bain-marie. Réglez la minuterie sur 7 heures. Une fois le chronomètre arrêté, retirez le sac et transférez-le dans une assiette. Servir chaud.

Œufs de tomates cerises

Temps de préparation + cuisson : 40 minutes | Portions : 6

Ingrédients:

10 œufs

1 tasse de tomates cerises, coupées en deux

2 cuillères à soupe de crème sure

1 cuillère à soupe de ciboulette

½ tasse de lait

½ cuillère à café de muscade

1 cuillère à café de beurre

1 cuillère à café de sel

Itinéraire:

Préparez un bain-marie et placez-y le sous vide. Réglez à 170F.

Placez les tomates cerises dans un grand sac sous vide. Battez les œufs avec les autres ingrédients et versez sur les tomates. Libérez l'air en utilisant la méthode de déplacement d'eau, scellez et plongez le sac dans un bain-marie. Réglez la minuterie sur 30 minutes. Lorsque vous êtes prêt, retirez le sac et transférez-le dans une assiette.

Brouillage de Pastrami

Temps de préparation + cuisson : 25 minutes | Portions : 3

Ingrédients:

6 œufs

½ tasse de pastrami

2 cuillères à soupe de crème épaisse

Sel et poivre noir au goût

2 cuillères à soupe de beurre fondu

3 tranches de pain grillé

Itinéraire:

Préparez un bain-marie et placez-y le sous vide. Réglez sur 167F. Mélangez le beurre, les œufs, la crème et les épices dans un sac thermoscellable. Libérez l'air en utilisant la méthode de déplacement d'eau, scellez et plongez le sac dans un bain-marie. Réglez la minuterie sur 15 minutes. Une fois le minuteur arrêté, retirez le sac et transférez les œufs dans une assiette. Servir sur les toasts.

Shakshuka aux tomates

Temps de préparation + cuisson : 2 heures 10 minutes | Portions : 3

Ingrédients:

28 oz de tomates concassées

6 œufs

1 cuillère à soupe de paprika

2 gousses d'ail, hachées

Sel et poivre noir au goût

2 cuillères à café de cumin

¼ tasse de coriandre hachée

Itinéraire:

Préparez un bain-marie et placez-y le sous vide. Réglez sur 148F. Placez les œufs dans un sac hermétique. Libérez l'air en utilisant la méthode de déplacement d'eau, scellez et plongez le sac dans un bain-marie. Mélangez le reste des ingrédients dans un autre sac sous vide. Réglez la minuterie sur 2 heures.

Répartissez la sauce tomate dans trois bols. Une fois le chronomètre arrêté, retirez le sac. Épluchez les œufs et mettez-en 2 dans chaque bol.

Omelette aux épinards

Temps de préparation + cuisson : 20 minutes | Portions : 2

Ingrédients:

4 gros œufs, battus

¼ tasse de yaourt grec

¾ tasse d'épinards frais, hachés

1 cuillère à soupe de beurre

¼ tasse de fromage cheddar, râpé

¼ cuillère à café de sel

Itinéraire:

Préparez un bain-marie, insérez Sous Vide et réglez à 165F. Battez les œufs dans un bol moyen. Incorporer le yaourt, le sel et le fromage. Placer le mélange dans un sac refermable sous vide et sceller. Plongez le sac dans un bain-marie. Cuire 10 minutes.

Faire fondre le beurre dans une poêle à feu moyen. Ajouter les épinards et cuire 5 minutes. Vous le mettez de côté, vous l'ignorez. Une fois le minuteur arrêté, retirez le sachet, transférez les œufs dans une assiette de service. Tartiner d'épinards et plier l'omelette.

Omelette à la roquette et au prosciutto

Temps de préparation + cuisson : 25 minutes | Portions : 2

Ingrédients:

4 fines tranches de prosciutto

5 gros œufs

¼ tasse de roquette fraîche, hachée finement

¼ tasse d'avocat tranché

Sel et poivre noir au goût

Itinéraire:

Préparez un bain-marie, insérez Sous Vide et réglez à 167F. Battez les œufs avec la roquette, le sel et le poivre. Transférer dans un sac thermoscellable. Appuyez pour évacuer l'air, puis fermez le couvercle. Cuire 15 minutes. Lorsque le minuteur s'est arrêté, retirez le sachet, ouvrez-le et placez l'omelette sur une assiette et garnissez-la de tranches d'avocat et de prosciutto.

Omelette aux oignons nouveaux et au gingembre

Temps de préparation + cuisson : 20 minutes | Portions : 2

Ingrédients:

8 œufs fermiers, battus

½ tasse d'oignons verts

1 cuillère à café de gingembre fraîchement râpé

1 cuillère à soupe d'huile d'olive extra vierge

Sel et poivre noir au goût

Itinéraire:

Préparez un bain-marie, insérez Sous Vide et réglez à 165F.

Dans un bol moyen, fouetter les œufs, le gingembre, le sel et le poivre. Transférer le mélange dans un sac refermable sous vide et sceller. Plongez le sac dans un bain-marie. Cuire 10 minutes.

Chauffer l'huile dans une poêle à feu moyen. Faites cuire les oignons nouveaux pendant 2 minutes. Une fois le minuteur arrêté, retirez le sachet, ouvrez-le et déposez l'omelette dans une assiette. Tranchez-la finement, mettez un oignon dessus et servez l'omelette pliée.

Doigts de poulet italiens

Temps de préparation + cuisson : 2 heures 20 minutes | Portions : 3

Ingrédients:

1 kilo de poitrine de poulet, désossée et sans peau

1 tasse de farine d'amande

1 cuillère à café d'ail émincé

1 cuillère à café de sel

½ cuillère à café de poivre de Cayenne

2 cuillères à café d'herbes italiennes mélangées

¼ cuillère à café de poivre noir

2 oeufs, battus

¼ tasse d'huile d'olive

Itinéraire:

Rincez la viande sous l'eau froide courante et séchez-la avec du papier absorbant. Assaisonner avec un mélange d'herbes italiennes et placer dans une grande machine sous vide. Fermer le sac et cuire sous vide pendant 2 heures à 167F. Retirer du bain-marie et réserver.

Mélangez maintenant la farine, le sel, le poivre de Cayenne, les herbes italiennes et le poivre dans un bol et réservez. Battez les œufs dans un bol séparé et réservez.

Chauffer l'huile d'olive dans une grande poêle à feu moyen. Tremper le poulet dans l'œuf battu et l'enrober du mélange de farine. Faire frire des deux côtés pendant 5 minutes ou jusqu'à ce qu'ils soient dorés.

Bouchées de poulet aux cerises

Temps de préparation + cuisson : 1 heure 40 minutes | Portions : 3

Ingrédients:

1 kilo de poitrine de poulet, désossée et sans peau, coupée en bouchées

1 tasse de poivron rouge, coupé en dés

1 tasse de poivron vert, coupé en dés

1 tasse de tomates cerises, entières

1 tasse d'huile d'olive

1 cuillère à café de mélange d'épices italiennes

1 cuillère à café de poivre de Cayenne

½ cuillère à café d'origan séché

Sel et poivre noir au goût

Itinéraire:

Rincez la viande sous l'eau froide courante et séchez-la avec du papier absorbant. Couper en bouchées et réserver. Lavez le poivron et coupez-le en cubes. Lavez les tomates cerises et retirez les tiges vertes. Vous le mettez de côté, vous l'ignorez.

Dans un bol, mélanger l'huile d'olive avec l'assaisonnement italien, le poivre de Cayenne, le sel et le poivre.

Remuer jusqu'à ce que le tout soit bien incorporé. Ajouter la viande et bien l'enrober de marinade. Laisser reposer 30 minutes pour permettre aux saveurs de se fondre et de pénétrer dans la viande.

Placez la viande et les légumes dans un grand sac sous vide. Ajoutez trois cuillères à soupe de marinade et fermez le sac. Cuire sous vide pendant 1 heure à 149F.

Toasts au kaki et à la cannelle

Temps de préparation + cuisson : 4 heures 10 minutes | Portions : 6

Ingrédients:

4 tranches de pain grillées

4 kakis, hachés

3 cuillères à soupe de sucre

½ cuillère à café de cannelle

2 cuillères à soupe de jus d'orange

½ cuillère à café d'extrait de vanille

Itinéraire:

Préparez un bain-marie et placez-y le sous vide. Réglez sur 155F.

Placez les kakis dans un sac thermoscellable. Ajoutez le jus d'orange, l'extrait de vanille, le sucre et la cannelle. Fermez le sac et secouez bien pour enrober les morceaux de kaki. Libérez l'air en utilisant la méthode de déplacement d'eau, scellez et plongez le sac dans un bain-marie. Réglez la minuterie sur 4 heures.

Une fois le minuteur arrêté, retirez le sac et transférez les kakis dans un robot culinaire. Mélanger jusqu'à consistance lisse. Étalez le mélange de kakis sur du pain grillé.

Ailes de poulet au gingembre

Temps de préparation + cuisson : 2 heures 25 minutes | Portions : 4

Ingrédients:

2 kilos d'ailes de poulet

¼ tasse d'huile d'olive extra vierge

4 gousses d'ail

1 cuillère à soupe de feuilles de romarin hachées

1 cuillère à café de poivre blanc

1 cuillère à café de poivre de Cayenne

1 cuillère à soupe de thym frais haché

1 cuillère à soupe de gingembre frais, râpé

¼ tasse de jus de citron vert

½ tasse de vinaigre de cidre de pomme

Itinéraire:

Rincez les ailes de poulet sous l'eau froide courante et égouttez-les dans une grande passoire.

Dans un grand bol, mélanger l'huile d'olive avec l'ail, le romarin, le poivre blanc, le poivre de Cayenne, le thym, le gingembre, le jus de citron vert et le vinaigre de cidre de pomme. Trempez les ailes dans ce mélange et couvrez. Réfrigérer une heure.

Transférez les ailes, ainsi que la marinade, dans un grand sac sous vide. Fermer le sac et cuire sous vide pendant 1 heure 15 minutes à 149F. Retirer du sac sous vide et griller avant de servir. Servez et dégustez !

Galettes de boeuf

Temps de préparation + cuisson : 1 heure 55 minutes | Portions : 4

Ingrédients:

1 kilo de bœuf haché maigre

1 oeuf

2 cuillères à soupe d'amandes finement hachées

2 cuillères à soupe de farine d'amande

1 tasse d'oignon, haché

2 gousses d'ail, écrasées

¼ tasse d'huile d'olive

Sel et poivre noir au goût

¼ tasse de feuilles de persil, hachées

Itinéraire:

Dans un bol, mélanger le bœuf haché avec l'oignon finement haché, l'ail, l'huile, le sel, le poivre, le persil et les amandes. Mélangez bien à la fourchette, puis ajoutez progressivement un peu de farine d'amande.

Battre un œuf et réfrigérer 40 minutes. Retirez la viande du réfrigérateur et formez soigneusement des galettes d'environ un pouce d'épaisseur et environ 4 pouces de diamètre. Placer dans deux sacs scellés sous vide séparés et cuire sous vide pendant une heure à 129F.

Chou vert farci

Temps de préparation + cuisson : 65 minutes | Portions : 3

Ingrédients:

1 kilo d'épices vertes cuites à la vapeur

1 kilo de bœuf haché maigre

1 petit oignon, finement haché

1 cuillère à soupe d'huile d'olive

Sel et poivre noir au goût

1 cuillère à café de menthe fraîche, hachée finement

Itinéraire:

Faites bouillir une grande casserole d'eau et ajoutez les légumes verts. Cuire brièvement pendant 2-3 minutes. Égouttez et pressez soigneusement les légumes verts, puis réservez.

Dans un grand bol, mélanger le bœuf haché, l'oignon, l'huile, le sel, le poivre et la menthe. Bien mélanger jusqu'à incorporation. Placez les feuilles sur votre plan de travail avec les nervures vers le haut. Utilisez une cuillère à soupe de mélange de viande et placez-la en bas au centre de chaque feuille. Pliez les côtés vers le haut et enroulez-les fermement. Rentrez les côtés et transférez soigneusement dans un grand sac sous vide. Fermer le sac et cuire sous vide pendant 45 minutes à 167F.

Pannini aux saucisses italiennes aux herbes

Temps de préparation + cuisson : 3 heures 15 minutes | Portions : 4

Ingrédients

1 kilo de saucisse italienne

1 poivron rouge, tranché

1 poivron jaune, tranché

1 oignon, tranché

1 gousse d'ail, hachée

1 tasse de jus de tomate

1 cuillère à café d'origan séché

1 cuillère à café de basilic séché

1 cuillère à café d'huile d'olive

Sel et poivre noir au goût

4 tranches de pain

Itinéraires

Préparez un bain-marie et placez-y le sous vide. Réglez sur 138F.

Placer la saucisse dans un sac sous vide. Ajouter l'ail, le basilic, l'oignon, le poivron, le jus de tomate et l'origan dans chaque sac. En utilisant la méthode de déplacement d'eau, libérez l'air, scellez et plongez les sacs dans le bain-marie. Cuire pendant 3 heures.

Une fois le minuteur arrêté, retirez les saucisses et transférez-les dans une poêle chaude. Faites-les frire 1 minute de chaque côté. Vous le mettez de côté, vous l'ignorez. Ajouter le reste des ingrédients dans la poêle, assaisonner de sel et de poivre. Cuire jusqu'à ce que l'eau s'évapore. Servir les saucisses et autres ingrédients entre le pain.

Artichauts au citron et à l'ail

Temps de préparation + cuisson : 2 heures 15 minutes | Portions : 5

Ingrédients:

3 artichauts

Jus de 3 citrons

1 cuillère à soupe de moutarde

5 gousses d'ail, émincées

1 cuillère à soupe d'oignon vert émincé

4 cuillères à soupe d'huile d'olive

Itinéraire:

Préparez un bain-marie et placez-y le sous vide. Réglé à 195F. Lavez et séparez les artichauts. Mettez-le dans un bol en plastique. Ajouter les autres ingrédients et bien agiter. Placer tout le mélange dans un sac en plastique. Fermez et plongez le sac dans un bain-marie. Réglez la minuterie sur 2 heures.

Une fois le minuteur arrêté, retirez le sac et faites griller pendant une minute de chaque côté.

Les jaunes de Panko sont des croquettes

Temps de préparation + cuisson : 60 minutes | Portions : 5

Ingrédients:

2 œufs et 5 jaunes

1 tasse de chapelure panko

3 cuillères à soupe d'huile d'olive

5 cuillères à soupe de farine

¼ cuillère à café d'assaisonnement italien

½ cuillère à café de sel

¼ cuillère à café de paprika

Itinéraire:

Préparez un bain-marie et placez-y le sous vide. Réglez sur 150F. Placer les jaunes dans l'eau (sans le sachet ni la tasse) et cuire 45 minutes en les retournant à mi-cuisson. Laissez-le refroidir un peu. Battez les œufs avec le reste des ingrédients sauf l'huile. Trempez le jaune dans le mélange œuf-panko.

Faites chauffer l'huile dans une poêle. Faites frire les jaunes jusqu'à ce qu'ils soient dorés en quelques minutes de chaque côté.

Houmous au chili

Temps de préparation + cuisson : 4 heures 15 minutes | Portions : 9)

Ingrédients:

16 onces de pois chiches, trempés toute la nuit et égouttés

2 gousses d'ail, hachées

1 cuillère à café de Sriracha

¼ cuillère à café de poudre de chili

½ cuillère à café de flocons de piment

½ tasse d'huile d'olive

1 cuillère à soupe de sel

6 tasses d'eau

Itinéraire:

Préparez un bain-marie et placez-y le sous vide. Réglé à 195F. Mettez les pois chiches et l'eau dans un sac en plastique. Libérez l'air en utilisant la méthode de déplacement d'eau, scellez et plongez le sac dans un bain-marie. Réglez la minuterie sur 4 heures.

Une fois le minuteur arrêté, retirez le sac, égouttez l'eau et transférez les pois chiches dans un robot culinaire. Ajoutez le reste des ingrédients. Mélanger jusqu'à consistance lisse.

Pilons de moutarde

Temps de préparation + cuisson : 1 heure | Portions : 5

Ingrédients:

2 kilos de cuisses de poulet

¼ tasse de moutarde de Dijon

2 gousses d'ail, écrasées

2 cuillères à soupe d'acides aminés de noix de coco

1 cuillère à café de sel rose de l'Himalaya

½ cuillère à café de poivre noir

Itinéraire:

Rincez le joint sous l'eau froide courante. Égoutter dans une grande passoire et réserver.

Dans un petit bol, mélanger le Dijon avec l'ail écrasé, les acides aminés de noix de coco, le sel et le poivre. Appliquez le mélange sur la viande à l'aide d'un pinceau de cuisine et placez-le dans un grand sac thermoscellable. Fermer le sac et cuire sous vide pendant 45 minutes à 167F.

Cercles d'aubergines aux pistaches

Temps de préparation + cuisson : 8 heures 10 minutes | Portions : 8

Ingrédients:

3 aubergines, tranchées

¼ tasse de pistaches concassées

1 cuillère à soupe de miso

1 cuillère à soupe de mirin

2 cuillères à café d'huile d'olive

1 cuillère à café de ciboulette

Sel et poivre noir au goût

Itinéraire:

Préparez un bain-marie et placez-y le sous vide. Réglez à 185F.

Mélangez l'huile, le mirin, la ciboulette, le miso et le poivre. Tartinez les tranches d'aubergines avec ce mélange. Placer dans un sac thermoscellable sous vide et garnir de pistaches. Répétez le processus jusqu'à ce que tous les ingrédients soient utilisés. Libérez l'air en utilisant la méthode de déplacement d'eau, scellez et plongez le sac dans un bain-marie. Réglez la minuterie sur 8 heures. Une fois le chronomètre arrêté, retirez le sac et l'assiette.

Trempette aux pois verts

Temps de préparation + cuisson : 45 minutes | Portions : 8

Ingrédients:

2 tasses de pois verts

3 cuillères à soupe de crème épaisse

1 cuillère à soupe d'estragon

1 gousse d'ail

1 cuillère à café d'huile d'olive

Sel et poivre noir au goût

¼ tasse de pommes coupées en dés

Itinéraire:

Préparez un bain-marie et placez-y le sous vide. Réglez à 185F. Placer tous les ingrédients dans un sac hermétique. Libérez l'air en utilisant la méthode de déplacement d'eau, scellez et plongez le sac dans un bain-marie. Réglez la minuterie sur 32 minutes. Une fois le minuteur arrêté, retirez le sachet et mixez jusqu'à consistance lisse avec un mixeur plongeant.

frites

Temps de préparation + cuisson : 45 | Portions : 6

Ingrédients:

3 kilos de pommes de terre tranchées

5 tasses d'eau

Sel et poivre noir au goût

¼ cuillère à café de bicarbonate de soude

Itinéraire:

Préparez un bain-marie et placez-y le sous vide. Réglé à 195F.

Placer les quartiers de pommes de terre, l'eau, le sel et le bicarbonate de soude dans un sac thermoscellable. Libérez l'air en utilisant la méthode de déplacement d'eau, scellez et plongez le sac dans un bain-marie. Réglez la minuterie sur 25 minutes.

Pendant ce temps, faites chauffer l'huile dans une poêle à feu moyen. Une fois le minuteur arrêté, retirez les quartiers de pommes de terre de la saumure et séchez-les. Faire revenir dans l'huile pendant quelques minutes jusqu'à ce qu'ils soient dorés.

Salade de dinde au concombre

Temps de préparation + cuisson : 2 heures 20 minutes | Portions : 3

Ingrédients:

1 kilo de poitrine de dinde, tranchée

½ tasse de bouillon de poulet

2 gousses d'ail, hachées

2 cuillères à soupe d'huile d'olive

1 cuillère à café de sel

¼ cuillère à café de poivre de Cayenne

2 feuilles de laurier

1 tomate de taille moyenne, hachée

1 gros poivron rouge, haché

1 concombre de taille moyenne

½ cuillère à café d'assaisonnement italien

Itinéraire:

Assaisonner la dinde avec du sel et du poivre de Cayenne. Placer dans une machine sous vide avec le bouillon de poulet, l'ail et les feuilles de laurier. Sceller le sac et cuire sous vide pendant 2 heures à 167F. Retirer et réserver. Placez les légumes dans un grand bol et ajoutez la dinde. Mélanger avec des épices italiennes et de l'huile d'olive. Mélangez bien et servez aussitôt.

Boules de gingembre

Temps de préparation + cuisson : 1h30 | Portions : 3

Ingrédients:

1 kilo de boeuf haché

1 tasse d'oignon, haché

3 cuillères à soupe d'huile d'olive

¼ tasse de coriandre fraîche, hachée

¼ tasse de menthe fraîche, finement hachée

2 cuillères à café de pâte de gingembre

1 cuillère à café de poivre de Cayenne

2 cuillères à café de sel

Itinéraire:

Dans un grand bol, mélanger le bœuf haché, l'oignon, l'huile d'olive, la coriandre, la menthe, la coriandre, la pâte de gingembre, le poivre de Cayenne et le sel. Façonner les galettes et réfrigérer 15 minutes. Sortir du réfrigérateur et transférer dans des sacs individuels sous vide. Cuire sous vide pendant 1 heure à 154F.

Boulettes de morue

Temps de préparation + cuisson : 105 minutes | Portions : 5

Ingrédients:

12 onces de morue hachée

2 onces de pain

1 cuillère à soupe de beurre

¼ tasse de farine

1 cuillère à soupe de semoule

2 cuillères à soupe d'eau

1 cuillère à soupe d'ail émincé

Sel et poivre noir au goût

¼ cuillère à café de paprika

Itinéraire:

Préparez un bain-marie et placez-y le sous vide. Réglez sur 125F.

Mélangez le pain et l'eau et écrasez le mélange. Ajoutez le reste des ingrédients et mélangez bien. Formez des boules avec le mélange.

Vaporisez une poêle d'enduit à cuisson et faites cuire les boules à bouchées à feu moyen pendant environ 15 secondes de chaque côté jusqu'à ce qu'elles soient légèrement dorées. Placer les bouchées de cabillaud dans un sac thermoscellable. Libérez l'air en utilisant la méthode de déplacement d'eau, scellez et plongez le sac dans un bain-marie. Réglez la minuterie sur 1 heure 30 minutes. Une fois le chronomètre arrêté, retirez le sac et exposez les bouchées de morue. Sert.

Petites carottes glacées

Temps de préparation + cuisson : 3 heures 10 minutes | Portions :
4

Ingrédients:

1 tasse de mini carottes

4 cuillères à soupe de cassonade

1 tasse d'échalotes hachées

1 cuillère à soupe de beurre

Sel et poivre noir au goût

1 cuillère à soupe d'aneth

Itinéraire:

Préparez un bain-marie et placez-y le sous vide. Réglez sur 165F.
Placer tous les ingrédients dans un sac hermétique. Secouer pour
bien enrober. Libérez l'air en utilisant la méthode de déplacement
d'eau, scellez et plongez dans un bain-marie. Réglez la minuterie sur
3 heures. Une fois le chronomètre arrêté, retirez le sac. Servir chaud.

Ailes de poulet chaudes

Temps de préparation + cuisson : 4 heures 15 minutes | Portions : 4

Ingrédients:

2 kilos d'ailes de poulet

½ bâton de beurre fondu

¼ tasse de sauce rouge piquante

½ cuillère à café de sel

Itinéraire:

Préparez un bain-marie et placez-y le sous vide. Réglez à 170F. Assaisonnez le poulet avec du sel et placez-le dans 2 sacs sous vide. Libérez l'air en utilisant la méthode de déplacement d'eau, scellez et plongez dans le bain. Cuire pendant 4 heures. Une fois terminé, retirez les sacs. Battre la sauce et le beurre. Mélangez les ailes avec le mélange.

Muffins à l'oignon et au bacon

Temps de préparation + cuisson : 3 heures 45 minutes | Portions : 5

Ingrédients:

1 oignon, haché

6 onces de bacon, coupé en dés

1 tasse de farine

4 cuillères à soupe de beurre fondu

1 oeuf

1 cuillère à café de bicarbonate de soude

1 cuillère à soupe de vinaigre

¼ cuillère à café de sel

Itinéraire:

Préparez un bain-marie et placez-y le sous vide. Réglez sur 196F.

Pendant ce temps, faites revenir le bacon dans une poêle à feu moyen jusqu'à ce qu'il soit croustillant. Transférer dans un bol et ajouter l'oignon à la graisse de bacon et cuire quelques minutes jusqu'à ce qu'il soit ramolli.

Transférer dans un bol et mélanger le reste des ingrédients. Répartissez la pâte à muffins dans 5 petits pots. Assurez-vous de ne pas le remplir à plus de la moitié. Placez les bocaux dans un bain-marie et réglez la minuterie sur 3 heures et 30 minutes. Une fois le minuteur arrêté, retirez les bocaux et servez.

Moules au vin blanc

Temps de préparation + cuisson : 1h20 | Portions : 3

Ingrédients:

1 livre de palourdes fraîches

3 cuillères à soupe d'huile d'olive extra vierge

1 tasse d'oignon, haché

¼ tasse de persil frais, finement haché

3 cuillères à soupe de thym frais, finement haché

1 cuillère à soupe de zeste de citron

1 tasse de vin blanc sec

Itinéraire:

Faites chauffer l'huile dans une poêle de taille moyenne. Ajouter l'oignon et faire revenir jusqu'à ce qu'il soit translucide. Ajoutez le zeste de citron, le persil et le thym. Bien mélanger et transférer dans un sac thermoscellable. Ajoutez les palourdes et une tasse de vin blanc sec. Sceller le sac et cuire sous vide pendant 40 minutes à 104F.

Épis de maïs tamari

Temps de préparation + cuisson : 3 heures 15 minutes | Portions : 8

Ingrédients:

1 livre d'épis de maïs

1 cuillère à soupe de beurre

¼ tasse de sauce tamari

2 cuillères à soupe de pâte miso

1 cuillère à café de sel

Itinéraire:

Préparez un bain-marie et placez-y le sous vide. Réglez à 185F.

Mélangez le tamari, le beurre, le miso et le sel. Placez le maïs dans un sac en plastique et versez le mélange dessus. Secouer pour bien enrober. Libérez l'air en utilisant la méthode de déplacement d'eau, scellez et plongez le sac dans un bain-marie. Réglez la minuterie sur 3 heures. Une fois le chronomètre arrêté, retirez le sac. Servir chaud.

Pétoncles aux lardons

Temps de préparation + cuisson : 50 minutes | Portions : 6

Ingrédients:

10 onces de pétoncles

3 onces de bacon, tranché

½ oignon, râpé

½ cuillère à café de poivre blanc

1 cuillère à soupe d'huile d'olive

Itinéraire:

Préparez un bain-marie et placez-y le sous vide. Réglez à 140F.

Saupoudrer le dessus des Saint-Jacques d'oignon râpé et les envelopper de tranches de bacon. Saupoudrer de poivre blanc et arroser d'huile. Placer dans un sac en plastique. Libérez l'air en utilisant la méthode de déplacement d'eau, scellez et plongez le sac dans un bain-marie. Réglez la minuterie sur 35 minutes. Une fois le chronomètre arrêté, retirez le sac. Sert.

Apéritif de crevettes

Temps de préparation + cuisson : 75 minutes | Portions : 8

Ingrédients:

1 livre de crevettes

3 cuillères à soupe d'huile de sésame

3 cuillères à soupe de jus de citron

½ tasse de persil

Sel et poivre blanc au goût

Itinéraire:

Préparez un bain-marie et placez-y le sous vide. Réglez à 140F.

Placer tous les ingrédients dans un sac hermétique. Secouez pour bien enrober les crevettes. Libérez l'air en utilisant la méthode de déplacement d'eau, scellez et plongez le sac dans un bain-marie. Réglez la minuterie sur 1 heure. Une fois le chronomètre arrêté, retirez le sac. Servir chaud.

Tartinade de foie de poulet

Temps de préparation + cuisson : 5 heures 15 minutes | Portions : 8

Ingrédients:

1 kilo de foie de poulet

6 œufs

8 onces de bacon, émincé

2 cuillères à soupe de sauce soja

3 onces d'échalotes, hachées

3 cuillères à soupe de vinaigre

Sel et poivre noir au goût

4 cuillères à soupe de beurre

½ cuillère à café de paprika

Itinéraire:

Préparez un bain-marie et placez-y le sous vide. Réglez sur 156F.

Faites cuire les lardons dans une poêle à feu moyen, ajoutez les échalotes et laissez cuire 3 minutes. Incorporer la sauce soja et le vinaigre. Placer dans un mixeur avec les autres ingrédients. Mélanger jusqu'à consistance lisse. Placer tous les ingrédients dans un pot Mason et sceller. Cuire 5 heures. Une fois le minuteur arrêté, retirez le pot et servez.

Légumes à la courge et au gingembre

Temps de préparation + cuisson : 70 minutes | Portions : 8

Ingrédients:

14 onces de courge musquée

1 cuillère à soupe de gingembre râpé

1 cuillère à café de beurre fondu

1 cuillère à café de jus de citron

Sel et poivre noir au goût

¼ cuillère à café de curcuma

Itinéraire:

Préparez un bain-marie et placez-y le sous vide. Réglez à 185F.

Épluchez le potiron et coupez-le en tranches. Placer tous les ingrédients dans un sac hermétique. Secouez pour bien enrober. Libérez l'air en utilisant la méthode de déplacement d'eau, scellez et plongez le sac dans un bain-marie. Réglez la minuterie sur 55 minutes. Une fois le chronomètre arrêté, retirez le sac. Servir chaud.

Queues de homard

Temps de préparation + cuisson : 50 minutes | Portions : 6

Ingrédients:

1 kilo de queue de homard décortiquée

½ citron

½ cuillère à café de poudre d'ail

¼ cuillère à café de poudre d'oignon

1 cuillère à soupe de romarin

1 cuillère à café d'huile d'olive

Itinéraire:

Préparez un bain-marie et placez-y le sous vide. Réglez à 140F.

Assaisonner le homard avec de la poudre d'ail et d'oignon. Placer dans un sac thermoscellable. Ajouter le reste des ingrédients et secouer pour bien enrober. Libérez l'air en utilisant la méthode de déplacement d'eau, scellez et plongez le sac dans un bain-marie. Réglez la minuterie sur 40 minutes. Une fois le chronomètre arrêté, retirez le sac. Servir chaud.

Tofu au barbecue

Temps de préparation + cuisson : 2 heures 15 minutes | Portions : 8

Ingrédients:

15 onces de tofu

3 cuillères à soupe de sauce barbecue

2 cuillères à soupe de sauce tamari

1 cuillère à café de poudre d'oignon

1 cuillère à café de sel

Itinéraire:

Préparez un bain-marie et placez-y le sous vide. Réglez à 180F.

Coupez le tofu en cubes. Placer dans un sac en plastique. Libérez l'air en utilisant la méthode de déplacement d'eau, scellez et plongez le sac dans un bain-marie. Réglez la minuterie sur 2 heures.

Une fois le chronomètre arrêté, retirez le sac et transférez-le dans un bol. Ajoutez le reste des ingrédients et mélangez.

Délicieux pain perdu

Temps de préparation + cuisson : 100 minutes | Portions : 2

Ingrédients:

2 oeufs

4 tranches de pain

½ tasse de lait

½ cuillère à café de cannelle

1 cuillère à soupe de beurre fondu

Itinéraire:

Préparez un bain-marie et placez-y le sous vide. Réglez sur 150F.

Mélangez les œufs, le lait, le beurre et la cannelle. Placez les tranches de pain dans un sac sous vide et versez dessus le mélange aux œufs. Secouez pour bien enrober. Libérez l'air en utilisant la méthode de déplacement d'eau, scellez et plongez le sac dans un bain-marie. Réglez la minuterie sur 1 heure 25 minutes. Une fois le chronomètre arrêté, retirez le sac. Servir chaud.

Canard sucré et épicé

Temps de préparation + cuisson : 70 minutes | Portions : 4

Ingrédients:

1 kilo de magret de canard

1 cuillère à café de thym

1 cuillère à café d'origan

2 cuillères à soupe de miel

½ cuillère à café de poudre de chili

½ cuillère à café de paprika

1 cuillère à café de sel d'ail

1 cuillère à soupe d'huile de sésame

Itinéraire:

Préparez un bain-marie et placez-y le sous vide. Réglez sur 158F.

Mélangez le miel, l'huile, les épices et les herbes. Badigeonnez le canard avec le mélange et placez-le dans un sac thermoscellable. Libérez l'air en utilisant la méthode de déplacement d'eau, scellez et plongez le sac dans un bain-marie. Réglez la minuterie sur 60 minutes.

Une fois le minuteur arrêté, retirez le sachet et coupez le magret de canard en tranches. Servir chaud.

Rhubarbe marinée sous vide

Temps de préparation + cuisson : 40 minutes | Portions : 8

Ingrédients:

2 kilos de rhubarbe tranchée

7 cuillères à soupe de vinaigre de cidre de pomme

1 cuillère à soupe de cassonade

¼ branche de céleri, hachée

¼ cuillère à café de sel

Itinéraire:

Préparez un bain-marie et placez-y le sous vide. Réglez à 180F. Placer tous les ingrédients dans un sac hermétique. Secouez pour bien enrober. Libérez l'air en utilisant la méthode de déplacement d'eau, scellez et plongez le sac dans un bain-marie. Cuire 25 minutes. Une fois le chronomètre arrêté, retirez le sac. Servir chaud.

Boulettes de dinde

Temps de préparation + cuisson : 2 heures 10 minutes | Portions : 4

Ingrédients:

12 onces de dinde hachée

2 cuillères à café de sauce tomate

1 oeuf

1 cuillère à café de coriandre

1 cuillère à soupe de beurre

Sel et poivre noir au goût

1 cuillère à soupe de chapelure

½ cuillère à café de thym

Itinéraire:

Préparez un bain-marie et placez-y le sous vide. Réglez sur 142F.

Mélangez tous les ingrédients dans un bol. Façonner le mélange en boulettes de viande. Placer dans un sac thermoscellable. Libérez l'air en utilisant la méthode de déplacement d'eau, scellez et plongez le sac dans un bain-marie. Réglez la minuterie sur 2 heures. Une fois le chronomètre arrêté, retirez le sac. Servir chaud.

Cuisses sucrées aux tomates séchées

Temps de préparation + cuisson : 75 minutes | Portions : 7)

Ingrédients:

2 kilos de cuisses de poulet

3 onces de tomates séchées au soleil, coupées en dés

1 oignon jaune, finement haché

1 cuillère à café de romarin

1 cuillère à soupe de sucre

2 cuillères à soupe d'huile d'olive

1 œuf battu

Itinéraire:

Préparez un bain-marie et placez-y le sous vide. Réglez sur 149F.

Mélanger tous les ingrédients dans un sac hermétique et secouer pour bien enrober. Libérez l'air en utilisant la méthode de déplacement d'eau, scellez et plongez le sac dans un bain-marie. Réglez la minuterie sur 63 minutes. Une fois le minuteur arrêté, retirez le sachet et servez comme vous le souhaitez.

Poulet Adobo

Temps de préparation + cuisson : 4 heures 25 minutes | Portions : 6

Ingrédients:

2 kilos de cuisses de poulet

3 cuillères à soupe de poivre

1 tasse de bouillon de poulet

½ tasse de sauce soja

2 cuillères à soupe de vinaigre

1 cuillère à soupe de poudre d'ail

Itinéraire:

Préparez un bain-marie et placez-y le sous vide. Réglez sur 155F.

Placer le poulet, la sauce soja et la poudre d'ail dans un sac thermoscellable. Libérez l'air en utilisant la méthode de déplacement d'eau, scellez et plongez le sac dans un bain-marie. Réglez la minuterie sur 4 heures. Une fois le minuteur arrêté, retirez le sachet et placez-le dans une casserole. Ajoutez le reste des ingrédients. Cuire encore 15 minutes.

Chorizo Fruité "Mange-moi"

Temps de préparation + cuisson : 75 minutes | Portions : 4

Ingrédients

2½ tasses de raisins blancs sans pépins, tiges enlevées

1 cuillère à soupe de romarin frais, haché

2 cuillères à soupe de beurre

4 saucisses chorizo

2 cuillères à soupe de vinaigre balsamique

Sel et poivre noir au goût

Itinéraires

Préparez un bain-marie et placez-y le sous vide. Réglez sur 165F. Placer le beurre, les raisins blancs, le romarin et le chorizo dans un sac thermoscellable. Bien agiter. Libérez l'air en utilisant la méthode de déplacement d'eau, scellez et plongez le sac dans le bain-marie. Cuire 60 minutes.

Une fois le minuteur arrêté, transférez le mélange de chorizo dans une assiette. Versez le liquide de cuisson avec les raisins et le vinaigre balsamique dans une poêle chaude. Remuer pendant 3 minutes. Garnir de sauce aux raisins chorizo.

Poulet et champignons à la sauce Marsala

Temps de préparation + cuisson : 2 heures 25 minutes | Portions : 2

Ingrédients:

2 poitrines de poulet désossées et sans peau

1 tasse de vin Marsala

1 tasse de bouillon de poulet

14 onces de champignons, tranchés

½ cuillère à soupe de farine

1 cuillère à soupe de beurre

Sel et poivre noir au goût

2 gousses d'ail, hachées

1 échalote, émincée

Itinéraire:

Préparez un bain-marie et placez-y le sous vide. Réglez à 140F. Assaisonnez le poulet avec du sel et du poivre et placez-le dans un sac sous vide avec les champignons. Libérez l'air en utilisant la méthode de déplacement d'eau, scellez-le et plongez-le dans un bain-marie. Cuire 2 heures.

Une fois le chronomètre arrêté, retirez le sac. Faire fondre le beurre dans une poêle à feu moyen, incorporer la farine et les autres ingrédients. Cuire jusqu'à ce que la sauce épaississe. Ajouter le poulet et cuire 1 minute.

Abricot vanille au whisky

Temps de préparation + cuisson : 45 minutes | Portions : 4

Ingrédients

2 abricots dénoyautés et coupés en quartiers

½ tasse de whisky de seigle

½ tasse de sucre ultrafin

1 cuillère à café d'extrait de vanille

Sel au goût

Itinéraires

Préparez un bain-marie et placez-y le sous vide. Réglez sur 182F. Placer tous les ingrédients dans un sac hermétique. Libérez l'air en utilisant la méthode de déplacement d'eau, scellez-le et plongez-le dans un bain-marie. Cuire 30 minutes. Une fois le chronomètre arrêté, retirez le sac et transférez-le dans le bain de glace.

Houmous épicé facile

Temps de préparation + cuisson : 3 heures 35 minutes | Portions :
6

Ingrédients

1½ tasse de pois chiches séchés, trempés toute la nuit

2 litres d'eau

¼ tasse de jus de citron

¼ tasse de pâte de tahini

2 gousses d'ail, hachées

2 cuillères à soupe d'huile d'olive

½ cuillère à café de graines de cumin

½ cuillère à café de sel

1 cuillère à café de poivre de Cayenne

Itinéraires

Préparez un bain-marie et placez-y le sous vide. Réglez sur 196F.

Égouttez les pois chiches et placez-les dans un sac sous vide avec 1 litre d'eau. Libérez l'air en utilisant la méthode de déplacement d'eau, scellez et plongez le sac dans le bain-marie. Cuire pendant 3 heures. Lorsque le minuteur s'est arrêté, retirez le sac, transférez-le dans un bain d'eau glacée et laissez-le refroidir.

Dans un mixeur, mixez le jus de citron et la pâte de tahini pendant 90 secondes. Ajouter l'ail, l'huile d'olive, les graines de cumin et le sel, mélanger pendant 30 secondes jusqu'à consistance lisse. Sortez les pois chiches et égouttez-les. Pour un houmous plus onctueux, épluchez les pois chiches.

Dans un robot culinaire, mélanger la moitié des pois chiches avec le mélange de tahini et mélanger pendant 90 secondes. Ajouter les pois chiches restants et mélanger jusqu'à consistance lisse. Transférer le mélange dans une assiette et garnir de poivre de Cayenne et des pois chiches réservés.

Batteurs de combava

Temps de préparation + cuisson : 80 minutes | Portions : 7)

Ingrédients:

16 onces de cuisses de poulet

2 cuillères à soupe de feuilles de coriandre

1 cuillère à café de menthe séchée

1 cuillère à café de thym

Sel et poivre blanc au goût

1 cuillère à soupe d'huile d'olive

1 cuillère à soupe de feuilles de combava hachées

Itinéraire:

Préparez un bain-marie et placez-y le sous vide. Réglez sur 153F. Placer tous les ingrédients dans un sac hermétique. Masser pour bien enrober le poulet. Libérez l'air en utilisant la méthode de déplacement d'eau, scellez et plongez le sac dans un bain-marie. Réglez la minuterie sur 70 minutes. Une fois terminé, retirez le sac. Servir chaud.

Purée de pommes de terre au lait et au romarin

Temps de préparation + cuisson : 1 heure 45 minutes | Portions : 4

Ingrédients

2 kilos de pommes de terre rouges

5 gousses d'ail

8 onces de beurre

1 tasse de lait entier

3 brins de romarin

Sel et poivre blanc au goût

Itinéraires

Préparez un bain-marie et placez-y le sous vide. Réglez sur 193F. Lavez, épluchez et coupez les pommes de terre. Retirez l'ail, épluchez-le et écrasez-le. Mélangez les pommes de terre, l'ail, le beurre, 2 cuillères à soupe de sel et le romarin. Placer dans un sac thermoscellable. Libérez l'air en utilisant la méthode de déplacement d'eau, scellez et plongez le sac dans le bain-marie. Cuire 1 heure et 30 minutes.

Une fois le chronomètre arrêté, sortez le sac, transférez-les dans un bol et écrasez-les. Mélangez le beurre fouetté et le lait. Ajoutez du sel et du poivre. Étalez du romarin dessus et servez.

Kebab de tofu sucré aux légumes

Temps de préparation + cuisson : 65 minutes | Portions : 8)

Ingrédients

1 courgette, tranchée

1 aubergine, tranchée

1 poivron jaune, haché

1 poivron rouge, haché

1 poivron vert, haché

16 onces de fromage tofu

¼ tasse d'huile d'olive

1 cuillère à café de miel

Sel et poivre noir au goût

Itinéraires

Préparez un bain-marie et placez-y le sous vide. Réglez sur 186F.

Placer les courgettes et les aubergines dans un sac sous vide. Placez les morceaux de poivron dans un sac hermétique. En utilisant la méthode de déplacement d'eau, libérez l'air, scellez et plongez les sacs dans le bain-marie. Cuire 45 minutes. Au bout de 10 minutes, faites chauffer une poêle à feu moyen.

Égouttez le tofu et séchez-le. Couper en cubes. Badigeonner d'huile d'olive et placer dans la poêle et cuire jusqu'à ce qu'ils soient dorés des deux côtés. Transférer dans un bol, verser le miel et couvrir. Laissez-le refroidir. Une fois le chronomètre arrêté, retirez les sacs et transférez tout le contenu dans un bol. Ajoutez du sel et du poivre. Jetez le liquide de cuisson. Disposez alternativement les légumes et le tofu dans le kebab.

Filet de poulet dijonnais

Temps de préparation + cuisson : 65 minutes | Portions : 4

Ingrédients:

1 kilo de filet de poulet

3 cuillères à soupe de moutarde de Dijon

2 oignons, râpés

2 cuillères à soupe de fécule de maïs

½ tasse de lait

1 cuillère à soupe de zeste de citron

1 cuillère à café de thym

1 cuillère à café d'origan

Sel d'ail et poivre noir au goût

1 cuillère à soupe d'huile d'olive

Itinéraire:

Préparez un bain-marie et placez-y le sous vide. Réglez sur 146F. Mélangez tous les ingrédients ensemble et placez-les dans un sac hermétique. Libérez l'air en utilisant la méthode de déplacement d'eau, scellez et plongez le sac dans un bain-marie. Réglez la minuterie sur 45 minutes. Une fois le minuteur arrêté, retirez le sachet, transférez-le dans une casserole et faites cuire à feu moyen pendant 10 minutes.

Poivrons farcis aux carottes et aux noix

Temps de préparation + cuisson : 2 heures 35 minutes | Portions : 5

Ingrédients

4 échalotes, hachées finement

4 carottes, hachées finement

4 gousses d'ail, hachées

1 tasse de noix de cajou crues, trempées et égouttées

1 tasse de pacanes, trempées et égouttées

1 cuillère à soupe de vinaigre balsamique

1 cuillère à soupe de sauce soja

1 cuillère à soupe de cumin moulu

2 cuillères à café de paprika

1 cuillère à café de poudre d'ail

1 pincée de poivre de Cayenne

4 brins de thym frais

Zest de 1 citron

4 poivrons, coupez le dessus et retirez les graines

Itinéraires

Préparez un bain-marie et placez-y le sous vide. Réglez sur 186F.

Mélangez les carottes, l'ail, les échalotes, les noix de cajou, les pacanes, le vinaigre balsamique, la sauce soja, le cumin, le paprika, la poudre d'ail, le poivre de Cayenne, le thym et le zeste de citron dans un mixeur. Mélangez grossièrement.

Versez le mélange dans la peau des poivrons et placez-les dans un sac sous vide. Libérez l'air en utilisant la méthode de déplacement d'eau, scellez et plongez le sac dans le bain-marie. Cuire 1 heure et 15 minutes. Une fois le minuteur arrêté, retirez les poivrons et disposez-les dans une assiette.

Canard orange au paprika et thym

Temps de préparation + cuisson : 15 heures 10 minutes |
Portions : 4

Ingrédients:

16 onces de cuisse de canard

1 cuillère à café de zeste d'orange

2 cuillères à soupe de feuille de combava

1 cuillère à café de sel

1 cuillère à café de sucre

1 cuillère à soupe de jus d'orange

2 cuillères à café d'huile de sésame

½ cuillère à café de paprika

½ cuillère à café de thym

Itinéraire:

Préparez un bain-marie et placez-y le sous vide. Réglez à 160F.
Placer tous les ingrédients dans un sac hermétique. Le massage
peut être bien combiné. Libérez l'air en utilisant la méthode de
déplacement d'eau, scellez et plongez le sac dans un bain-marie.
Réglez la minuterie sur 15 heures.

Une fois le chronomètre arrêté, retirez le sac. Servir chaud.

Cuisse de dinde enveloppée de bacon

Temps de préparation + cuisson : 6 heures 15 minutes | Portions : 5

Ingrédients:

14 onces de cuisse de dinde

5 onces de bacon, tranché

½ cuillère à café de flocons de piment

2 cuillères à café d'huile d'olive

1 cuillère à soupe de crème sure

½ cuillère à café d'origan

½ cuillère à café de paprika

¼ citron, tranché

Itinéraire:

Préparez un bain-marie et placez-y le sous vide. Réglez à 160F.

Dans un bol, mélangez les herbes et les épices avec la crème sure, puis étalez-la sur la dinde. Enveloppez-le dans du bacon et arrosez d'huile d'olive. Mettez-le dans un sac sous vide avec le citron. Libérez l'air en utilisant la méthode de déplacement d'eau, scellez et plongez le sac dans un bain-marie. Réglez la minuterie sur 6 heures. Lorsque le minuteur s'est arrêté, retirez le sac et tranchez. Servir chaud.

Mélange d'asperges à l'estragon

Temps de préparation + cuisson : 25 minutes | Portions : 3

Ingrédients:

1 ½ lb d'asperges moyennes

5 cuillères à soupe de beurre

2 cuillères à soupe de jus de citron

½ cuillère à café de zeste de citron

1 cuillère à soupe de ciboulette, tranchée

1 cuillère à soupe de persil haché

1 cuillère à soupe + 1 cuillère à soupe d'aneth frais haché

1 cuillère à soupe + 1 cuillère à soupe d'estragon haché

Itinéraire:

Préparez un bain-marie, insérez Sous Vide et réglez à 183F. Coupez et jetez le bas serré des asperges. Placer les asperges dans un sac thermoscellable.

Libérez l'air en utilisant la méthode de déplacement d'eau, scellez et plongez dans un bain-marie, puis réglez la minuterie sur 10 minutes.

Une fois le chronomètre arrêté, retirez le sac et fermez-le. Mettez une poêle sur feu doux, ajoutez le beurre et les asperges cuites à la vapeur. Assaisonnez de sel et de poivre et remuez constamment. Ajoutez le jus et le zeste de citron et laissez cuire 2 minutes.

Éteignez le feu et ajoutez le persil, 1 cuillère à soupe d'aneth et 1 cuillère à soupe d'estragon. Mélangez uniformément. Garnir avec le reste d'aneth et d'estragon. Servir chaud en accompagnement.

Steaks de chou-fleur épicés

Temps de préparation + cuisson : 35 minutes | Portions : 5

Ingrédients:

1 kilo de chou-fleur, tranché

1 cuillère à soupe de curcuma

1 cuillère à café de poudre de chili

½ cuillère à café de poudre d'ail

1 cuillère à café de Sriracha

1 cuillère à soupe de chipotle

1 cuillère à soupe, c'est lourd

2 cuillères à soupe de beurre

Itinéraire:

Préparez un bain-marie et placez-y le sous vide. Réglez à 185F.

Mélangez tous les ingrédients sauf le chou-fleur. Badigeonner les steaks de chou-fleur avec le mélange. Placez-les dans un sac hermétique. Libérez l'air en utilisant la méthode de déplacement d'eau, scellez et plongez le sac dans un bain-marie. Réglez la minuterie sur 18 minutes.

Une fois le minuteur arrêté, retirez le sac, préchauffez le gril et faites cuire les steaks une minute de chaque côté.

Lanières de pommes de terre de Cayenne avec vinaigrette mayonnaise

Temps de préparation + cuisson : 1h50 | Portions : 6

Ingrédients

2 grosses pommes de terre dorées coupées en lanières

Sel et poivre noir au goût

1½ cuillères à soupe d'huile d'olive

1 cuillère à café de thym

1 cuillère à café de paprika

½ cuillère à café de poivre de Cayenne

1 jaune d'oeuf

2 cuillères à soupe de vinaigre de cidre de pomme

¾ tasse d'huile végétale

Sel et poivre noir au goût

Itinéraires

Préparez un bain-marie et placez-y le sous vide. Réglez sur 186F. Placez les pommes de terre dans un sac sous vide avec une pincée de sel. Libérez l'air en utilisant la méthode de déplacement d'eau, scellez-le et plongez-le dans un bain-marie. Cuire 1 heure et 30 minutes.

Une fois le minuteur arrêté, retirez les pommes de terre et séchez-les avec un torchon. Jetez le liquide de cuisson. Chauffer l'huile dans une poêle à feu moyen. Ajouter les pommes de terre et saupoudrer de paprika, de poivre de Cayenne, de thym, de poivre noir et du reste de sel. Remuer pendant 7 minutes jusqu'à ce que tous les côtés des pommes de terre soient dorés.

Réaliser la mayonnaise : bien mélanger le jaune d'oeuf et la moitié du vinaigre. Ajouter lentement l'huile végétale en mélangeant jusqu'à consistance lisse. Ajoutez le vinaigre restant. Assaisonner de sel et de poivre et bien mélanger. Servir avec des pommes de terre sautées.

Canard Beurré & Sucré

Temps de préparation + cuisson : 7 heures 10 minutes | Portions : 7)

Ingrédients:

2 kilos d'ailes de canard

2 cuillères à soupe de sucre

3 cuillères à soupe de beurre

1 cuillère à soupe de sirop d'érable

1 cuillère à café de poivre noir

1 cuillère à café de sel

1 cuillère à soupe de purée de tomates

Itinéraire:

Préparez un bain-marie et placez-y le sous vide. Réglez à 175F.

Mélangez les ingrédients dans un bol, enduisez les ailes du mélange. Placez les ailes dans un sac sous vide et versez dessus le reste du mélange. Libérez l'air en utilisant la méthode de déplacement d'eau, scellez et plongez le sac dans un bain-marie. Réglez la minuterie sur 7 heures. Lorsque le minuteur s'est arrêté, retirez le sac et tranchez. Servir chaud.

Confitures au beurre

Temps de préparation + cuisson : 1 heure 10 minutes | Portions : 4

Ingrédients

1 kilo d'ignames, tranchées

8 cuillères à soupe de beurre

½ tasse de crème épaisse

Sel au goût

Itinéraires

Préparez un bain-marie et placez-y le sous vide. Réglez sur 186F. Mélangez la crème épaisse, les ignames, le sel casher et le beurre. Placer dans un sac thermoscellable. Libérez l'air en utilisant la méthode de déplacement d'eau, scellez et plongez le sac dans le bain-marie. Cuire 60 minutes.

Une fois le chronomètre arrêté, retirez le sachet et versez le contenu dans un bol. Bien mélanger à l'aide d'un robot culinaire et servir.

Quiche aux épinards et aux champignons

Temps de préparation + cuisson : 20 minutes | Portions : 2

Ingrédients:

1 tasse de champignons Cremini frais, tranchés

1 tasse d'épinards frais, hachés

2 gros œufs, battus

2 cuillères à soupe de lait entier

1 gousse d'ail, hachée

¼ tasse de parmesan, râpé

1 cuillère à soupe de beurre

½ cuillère à café de sel

Itinéraire:

Lavez les champignons sous l'eau froide et émincez-les finement. Vous le mettez de côté, vous l'ignorez. Lavez soigneusement les épinards et hachez-les finement.

Placer les champignons, les épinards, le lait, l'ail et le sel dans un grand sac sous vide. Fermer le sac et cuire sous vide pendant 10 minutes à 180F.

Pendant ce temps, faites fondre le beurre dans une grande poêle à feu moyen. Retirez le mélange de légumes du sac et placez-le dans une casserole. Cuire 1 minute, puis ajouter l'œuf battu. Bien mélanger jusqu'à incorporation et cuire jusqu'à ce que l'œuf soit pris. Saupoudrer de fromage râpé, retirer du feu et servir.

Maïs au beurre mexicain

Temps de préparation + cuisson : 40 minutes | Portions : 2

Ingrédients

2 épis de maïs, pelés

2 cuillères à soupe de beurre froid

Sel et poivre noir au goût

¼ tasse de mayonnaise

½ cuillère à soupe de poudre de chili à la mexicaine

½ cuillère à café de zeste de citron vert râpé

¼ tasse de fromage feta émietté

¼ tasse de coriandre fraîche hachée

Quartiers de citron vert pour servir

Itinéraires

Préparez un bain-marie et placez-y le sous vide. Réglez sur 183F.

Placer les épis de maïs et le beurre dans un sac thermoscellable. Ajoutez du sel et du poivre. Libérez l'air en utilisant la méthode de déplacement d'eau, scellez et plongez le sac dans le bain-marie. Cuire 30 minutes.

Une fois le chronomètre arrêté, retirez le maïs. Mettez la mayonnaise, le zeste de citron vert et la poudre de chili dans un petit sac. Bien agiter. Disposez le fromage feta dans une assiette. Enduisez les épis de maïs avec 1 cuillère à soupe du mélange de mayonnaise et roulez-les sur le fromage. Garnir de sel. Sert.

Poire au fromage et aux noix

Temps de préparation + cuisson : 55 minutes | Portions : 2

Ingrédients

1 poire, tranchée

1 livre de miel

½ tasse de noix

4 cuillères à soupe de fromage Grana Padano râpé

2 tasses de feuilles de roquette

Sel et poivre noir au goût

2 cuillères à soupe de jus de citron

2 cuillères à soupe d'huile d'olive

Itinéraires

Préparez un bain-marie et placez-y le sous vide. Réglez sur 158F. Mélangez le miel et les poires. Placer dans un sac thermoscellable. Libérez l'air en utilisant la méthode de déplacement d'eau, scellez et plongez le sac dans le bain-marie. Cuire 45 minutes. Une fois le chronomètre arrêté, retirez le sac et transférez-le dans un bol. Garnir de vinaigrette.

Purée de brocoli et fromage bleu

Temps de préparation + cuisson : 1 heure 40 minutes | Portions : 6

Ingrédients

1 tête de brocoli coupée en fleurons

3 cuillères à soupe de beurre

Sel et poivre noir au goût

1 cuillère à soupe de persil

5 dkg de fromage bleu, émietté

Itinéraires

Préparez un bain-marie et placez-y le sous vide. Réglez sur 186F.

Placez le brocoli, le beurre, le sel, le persil et le poivre noir dans un sac sous vide. Libérez l'air en utilisant la méthode de déplacement d'eau, scellez et plongez le sac dans le bain-marie. Cuire 1 heure et 30 minutes.

Une fois le minuteur arrêté, retirez le sachet et transférez-le dans un mixeur. Ajouter le fromage et mélanger à haute vitesse pendant 3-4 minutes jusqu'à consistance lisse. Sert.

Courgettes au curry

Temps de préparation + cuisson : 40 minutes | Portions : 3

Ingrédients:

3 petites courgettes coupées en dés

2 cuillères à café de curry en poudre

1 cuillère à soupe d'huile d'olive

Sel et poivre noir au goût

¼ tasse de coriandre

Itinéraire:

Préparez un bain-marie, insérez Sous Vide et réglez à 185F. Placez les courgettes dans un sac thermoscellable. Libérez l'air en utilisant la méthode de déplacement d'eau, scellez et plongez le sac dans le bain-marie. Cuire 20 minutes. Une fois le chronomètre arrêté, retirez et fermez le sac. Placer une poêle à feu moyen, ajouter l'huile d'olive. Une fois chauffées, ajoutez les courgettes et les autres ingrédients indiqués. Ajoutez du sel et faites sauter pendant 5 minutes. Servir en accompagnement.

Patates douces aux noix

Temps de préparation + cuisson : 3 heures 45 minutes | Portions : 2

Ingrédients

1 kilo de patates douces, tranchées

Sel au goût

¼ tasse de noix

1 cuillère à soupe d'huile de coco

Itinéraires

Préparez un bain-marie et placez-y le sous vide. Réglez sur 146F. Placer les pommes de terre et le sel dans un sac thermoscellable. Libérez l'air en utilisant la méthode de déplacement d'eau, scellez et plongez le sac dans le bain-marie. Cuire pendant 3 heures. Faites chauffer une poêle à feu moyen et faites griller les noix. Découpez-les.

Préchauffer le four à 375F et tapisser une plaque à pâtisserie de papier parchemin. Une fois le minuteur arrêté, retirez les pommes de terre et transférez-les sur la plaque à pâtisserie. Saupoudrer d'huile de coco et enfourner pendant 20 à 30 minutes. Roulez-le une fois. Servir parsemé de noix grillées.

Betteraves marinées épicées

Temps de préparation + cuisson : 50 minutes | Portions : 4

Ingrédients

12 oz de betteraves, tranchées

½ piment jalapeno

1 gousse d'ail coupée en dés

2/3 tasse de vinaigre blanc

2/3 tasse d'eau

2 cuillères à soupe de marinade

Itinéraires

Préparez un bain-marie et placez-y le sous vide. Réglez sur 192F. Dans 5 bocaux Mason, mélanger le piment jalapeno, les betteraves et les gousses d'ail.

Faites chauffer une poêle et portez à ébullition la marinade, l'eau et le vinaigre blanc. Égoutter et verser sur le mélange de betteraves dans les bocaux. Fermez et plongez les pots dans le bain-marie. Cuire 40 minutes. Une fois le minuteur arrêté, retirez les bocaux et laissez-les refroidir. Sert.

Maïs beurré aux épices

Temps de préparation + cuisson : 35 minutes | Portions : 5

Ingrédients

5 cuillères à soupe de beurre

5 épis de maïs jaune, pelés

1 cuillère à soupe de persil frais

½ cuillère à café de poivre de Cayenne

Sel au goût

Itinéraires

Préparez un bain-marie et placez-y le sous vide. Réglez sur 186F.

Placer 3 épis de maïs dans chaque sac sous vide. En utilisant la méthode de déplacement d'eau, libérez l'air, scellez et plongez les sacs dans le bain-marie. Cuire 30 minutes. Une fois le chronomètre arrêté, retirez le maïs du sac et transférez-le dans une assiette. Garnir de poivre de Cayenne et de persil.

Pommes de terre au paprika et au romarin

Temps de préparation + cuisson : 55 minutes | Portions : 4

Ingrédients

8 onces de pommes de terre pâteuses

Sel et poivre noir au goût

1 cuillère à soupe de beurre

1 branche de romarin

1 cuillère à café de paprika

Itinéraires

Préparez un bain-marie et placez-y le sous vide. Réglez sur 178F.

Mélangez les pommes de terre avec le sel, le paprika et le poivre. Placez-les dans un sac hermétique. Libérez l'air en utilisant la méthode de déplacement d'eau, scellez et plongez le sac dans le bain-marie. Cuire 45 minutes.

Une fois le minuteur arrêté, retirez les pommes de terre et coupez-les en deux. Faites chauffer le beurre dans une poêle à feu moyen et incorporez le romarin et les pommes de terre. Cuire 3 minutes. Servir dans une assiette. Garnir de sel.

Pain glacé à la citrouille

Temps de préparation + cuisson : 3 heures 40 minutes | Portions : 4

Ingrédients:

1 œuf battu

6 cuillères à soupe de purée de citrouille en conserve

6 onces de farine

1 cuillère à café de levure chimique

1 cuillère à café de cannelle

¼ cuillère à café de muscade

1 cuillère à soupe de sucre

¼ cuillère à café de sel

Itinéraire:

Préparez un bain-marie et placez-y le sous vide. Réglé à 195F.

Tamisez la farine avec la levure chimique, le sel, la cannelle et la muscade dans un bol. Incorporer l'œuf battu, le sucre et la purée de potiron. Mélangez pour faire une pâte.

Répartissez la pâte dans deux bocaux Mason et fermez hermétiquement. Placer au bain-marie et cuire 3 heures et 30 minutes. Une fois le temps écoulé, retirez les bocaux et laissez-les refroidir avant de servir.

Oeuf de poireaux et ail

Temps de préparation + cuisson : 35 minutes | Portions : 2

Ingrédients:

2 tasses de poireaux frais, coupés en bouchées

5 gousses d'ail entières

1 cuillère à soupe de beurre

2 cuillères à soupe d'huile d'olive extra vierge

4 gros œufs

1 cuillère à café de sel

Itinéraire:

Mélangez les œufs, le beurre et le sel. Transférer dans un sac hermétique et cuire sous vide pendant dix minutes à 165F. Transférer délicatement dans une assiette. Faites chauffer l'huile dans une grande poêle à feu moyen. Ajoutez l'ail et les poireaux hachés. Faites sauter pendant dix minutes. Retirer du feu et utiliser pour garnir les œufs.

Trempette crémeuse aux artichauts

Temps de préparation + cuisson : 1 heure 45 minutes | Portions : 6

Ingrédients:

2 cuillères à soupe de beurre

2 oignons, coupés en quartiers

3 gousses d'ail hachées

15 oz de cœurs d'artichauts, hachés

18 oz d'épinards surgelés, décongelés

5 onces de piments verts

3 cuillères à soupe de mayonnaise

3 cuillères à soupe de crème fouettée

Itinéraire:

Préparez un bain-marie, placez-y le sous vide, puis chauffez à 181F. Répartissez l'oignon, l'ail, les cœurs d'artichauts, les épinards et le poivron vert dans 2 sacs sous vide. En utilisant la méthode de déplacement d'eau, libérez l'air, scellez et plongez les sacs dans le bain-marie. Réglez la minuterie sur 30 minutes pour cuire.

Une fois le chronomètre arrêté, retirez et scellez les sacs. Mixez les ingrédients avec un mixeur. Placer une poêle sur feu moyen et ajouter le beurre. Ajoutez la purée de légumes, le jus de citron, la mayonnaise et le fromage à la crème. Ajoutez du sel et du poivre. Mélangez et laissez cuire 3 minutes. Servir chaud avec des lanières de légumes.

Trempette au fromage et aux radis

Temps de préparation + cuisson : 1 heure 15 minutes | Portions : 4

Ingrédients:

30 petits radis, en enlevant les feuilles vertes

1 cuillère à soupe de vinaigre de Chardonnay

Sucre au goût

1 tasse d'eau pour cuire à la vapeur

1 cuillère à soupe d'huile de pépins de raisin

12 onces de fromage à la crème

Itinéraire:

Préparez un bain-marie, insérez Sous Vide et réglez à 183F. Placer les radis, le sel, le poivre, l'eau, le sucre et le vinaigre dans un sac thermoscellable. Libérez l'air du sac, fermez-le et plongez-le dans le bain-marie. Cuire 1 heure. Une fois le minuteur arrêté, retirez le sachet, ouvrez-le et placez les radis dans un mixeur avec un peu d'eau bouillante. Ajouter le fromage à la crème et réduire en purée jusqu'à consistance lisse. Sert.

Trempette au céleri

Temps de préparation + cuisson : 50 minutes | Portions : 3

Ingrédients:

½ lb de céleri-rave, tranché

1 tasse de crème épaisse

3 cuillères à soupe de beurre

1 cuillère à soupe de jus de citron

Sel au goût

Itinéraire:

Préparez un bain-marie, insérez Sous Vide et réglez à 183F. Mettez le céleri, la crème, le jus de citron, le beurre et le sel dans un sac sous vide. Libérez l'air du sac, fermez-le et plongez-le dans le bain. Cuire 40 minutes. Une fois le chronomètre arrêté, retirez et fermez le sac. Mixez les ingrédients avec un mixeur. Sert.

Sauce barbecue épicée

Temps de préparation + cuisson : 1 heure 15 minutes | Portions : 10)

Ingrédients:

1 ½ livre de petites tomates

¼ tasse de vinaigre de cidre de pomme

¼ cuillère à café de sucre

1 cuillère à soupe de sauce Worcestershire

½ cuillère à soupe de fumée de caryer liquide

2 cuillères à café de paprika fumé

2 cuillères à café de poudre d'ail

1 cuillère à café de poudre d'oignon

Sel au goût

½ cuillère à café de poudre de chili

½ cuillère à café de poivre de Cayenne

4 cuillères à soupe d'eau

Itinéraire:

Préparez un bain-marie, insérez Sous Vide et réglez à 185F.

Triez les tomates dans deux sacs sous vide. En utilisant la méthode de déplacement d'eau, libérez l'air, scellez et plongez les sacs dans le bain-marie. Réglez la minuterie sur 40 minutes.

Une fois le chronomètre arrêté, retirez et scellez les sacs. Placez les tomates dans un mélangeur et réduisez-les en purée jusqu'à obtenir une consistance lisse et épaisse. N'ajoutez pas d'eau.

Mettez une casserole sur feu moyen, ajoutez le concentré de tomate et les autres ingrédients. Faire bouillir pendant 20 minutes en remuant continuellement. Une consistance épaisse doit être obtenue.

Sauce Péri Péri

Temps de préparation + cuisson : 40 minutes | Portions : 15

Ingrédients:

2 kg de piments rouges

4 gousses d'ail, écrasées

2 cuillères à café de paprika fumé

1 tasse de feuilles de coriandre, hachées

½ tasse de feuilles de basilic, hachées

1 tasse d'huile d'olive

Jus de 2 citrons

Itinéraire:

Préparez un bain-marie, insérez Sous Vide et réglez à 185F.

Placez les poivrons dans un sac hermétique. Libérez l'air en utilisant la méthode de déplacement d'eau, scellez et plongez le sac dans le bain-marie. Réglez la minuterie sur 30 minutes.

Une fois le chronomètre arrêté, retirez et fermez le sac. Placez le poivre et les autres ingrédients indiqués dans un mélangeur et réduisez en purée lisse.

Conserver dans un contenant hermétique, réfrigérer et utiliser jusqu'à 7 jours.

Sirop de gingembre

Temps de préparation + cuisson : 1 heure 10 minutes | Portions : 10)

Ingrédients:

1 tasse de gingembre, tranché finement

1 gros oignon blanc, pelé

2 ½ tasses d'eau

¼ tasse) de sucre

Itinéraire:

Préparez un bain-marie, insérez Sous Vide et réglez à 185F. Placez l'oignon dans un sac hermétique. Libérez l'air en utilisant la méthode de déplacement d'eau, scellez et plongez dans le bain-marie. Cuire 40 minutes.

Une fois le chronomètre arrêté, retirez et fermez le sac. Placez l'oignon dans un mixeur avec 4 cuillères à soupe d'eau et réduisez-le en purée lisse. Mettez une casserole sur feu moyen, ajoutez la purée d'oignons et les autres ingrédients indiqués. Faire bouillir pendant 15 minutes. Éteignez le feu, laissez refroidir et passez au tamis fin. Conserver dans un bocal, réfrigérer et utiliser jusqu'à 14 jours. Utilisez-le comme épice pour d'autres plats.

Stock de poulet

Temps de préparation + cuisson : 12 heures 25 minutes |
Portions : 3

Ingrédients:

2 lb de poulet, n'importe quelle partie – cuisse, poitrine

5 tasses d'eau

2 branches de céleri, hachées

2 oignons blancs, finement hachés

Itinéraire:

Préparez un bain-marie, insérez Sous Vide et réglez à 194F. Séparez tous les ingrédients dans 2 sacs sous vide, pliez le dessus des sacs 2 à 3 fois. Placer au bain-marie. Réglez la minuterie sur 12 heures.

Une fois le minuteur arrêté, retirez les sachets et transférez les ingrédients dans un bol. Faites bouillir les ingrédients à feu vif pendant 10 minutes. Éteignez le feu et égouttez. Nous utilisons le bouillon comme base de soupe.

Sauce Pomodoro à l'oignon

Temps de préparation + cuisson : 30 minutes | Portions : 4

Ingrédients

4 tasses de tomates, coupées en deux et épépinées

½ oignon, haché

½ cuillère à café de sucre

¼ tasse d'origan frais

2 gousses d'ail, hachées

Sel et poivre noir au goût

5 cuillères à soupe d'huile d'olive

Itinéraire:

Préparez un bain-marie et placez-y le sous vide. Réglez à 175F. Placer les tomates, l'origan, l'ail, l'oignon et le sucre dans un sac thermoscellable. Libérez l'air en utilisant la méthode de déplacement d'eau, scellez et plongez le sac dans le bain-marie. Cuire 15 minutes.

Une fois le minuteur arrêté, retirez le sac, transférez le contenu dans un mixeur et mixez pendant 1 minute jusqu'à consistance lisse. Garnir de poivre noir.

Purée de poivre

Temps de préparation + cuisson : 40 minutes | Portions : 4

Ingrédients:

8 poivrons rouges épépinés

⅓ tasse d'huile d'olive

2 cuillères à soupe de jus de citron

3 gousses d'ail écrasées

2 cuillères à café de paprika doux

Itinéraire:

Préparez un bain-marie, insérez Sous Vide et réglez à 183F. Mettez le poivron, l'ail et l'huile d'olive dans un sac sous vide. En utilisant la méthode de déplacement d'eau, libérez l'air, scellez et plongez les sacs dans le bain-marie. Réglez la minuterie sur 20 minutes et faites cuire.

Une fois le chronomètre arrêté, retirez le sac et fermez-le. Placez le poivron et l'ail dans un mélangeur et réduisez en purée lisse. Placer une poêle à feu moyen; ajoutez la pâte de paprika et les autres ingrédients. Cuire 3 minutes. Servir tiède ou froid en trempette.

Assaisonnement jalapeno

Temps de préparation + cuisson : 70 minutes | Portions : 6

Ingrédients:

2 piments jalapeno

2 piments verts

2 gousses d'ail, écrasées

1 oignon pelé seulement

3 cuillères à café de poudre d'origan

3 cuillères à café de poivre noir en poudre

2 cuillères à café de romarin en poudre

10 cuillères à café de poudre d'anis

Itinéraires

Préparez un bain-marie, insérez Sous Vide et réglez à 185F. Placer les poivrons et les oignons dans un sac thermoscellable. Libérez l'air en utilisant la méthode de déplacement d'eau, scellez et plongez le sac dans le bain-marie. Réglez la minuterie sur 40 minutes.

Une fois le chronomètre arrêté, retirez et fermez le sac. Placez le poivron et l'oignon dans un mélangeur avec 2 cuillères à soupe d'eau et réduisez en purée lisse.

Mettez une casserole sur feu doux, ajoutez la pâte de piment et les autres ingrédients. Laisser mijoter 15 minutes. Éteignez le feu et laissez refroidir. Conserver dans un pot à épices, réfrigérer et utiliser jusqu'à 7 jours. Utilisez-le comme épice.

Soupe de boeuf

Temps de préparation + cuisson : 13 heures 25 minutes |
Portions : 6

Ingrédients:

3 lb de cuisse de bœuf

1 ½ livre d'os de bœuf

½ livre de bœuf haché

5 tasses de purée de tomates

6 oignons doux

3 têtes d'ail

6 cuillères à soupe de poivre noir

5 brins de thym

4 feuilles de laurier

10 tasses d'eau

Itinéraire:

Préchauffer le four à 425F. Placez les os et les cuisses de bœuf dans une poêle et frottez-les avec le concentré de tomate. Ajouter l'ail et l'oignon. Vous le mettez de côté, vous l'ignorez. Placer et émietter le bœuf haché dans une autre poêle. Placez les moules au four et faites cuire jusqu'à ce qu'ils soient dorés.

Lorsque vous êtes prêt, versez la graisse des plats allant au four. Préparez un bain-marie dans une grande casserole, insérez Sous Vide et réglez à 195F. Séparez le bœuf haché, les légumes rôtis, le poivre noir, le thym et les feuilles de laurier dans 3 sacs sous vide. Déglacez les casseroles avec de l'eau et ajoutez-les aux sachets. Pliez le haut des sacs 2 à 3 fois.

Placez les sacs dans le bain-marie et fixez-les au récipient sous vide. Réglez la minuterie sur 13 heures. Une fois le minuteur arrêté, retirez les sachets et transférez les ingrédients dans un bol. Portez les ingrédients à ébullition à feu vif. Cuire 15 minutes. Éteignez le feu et égouttez. Nous utilisons le bouillon comme base de soupe.

Frotter l'ail et le basilic

Temps de préparation + cuisson : 55 minutes | Portions : 15

Ingrédients:

2 têtes d'ail, écrasées

2 cuillères à café d'huile d'olive

Une pincée de sel

1 tête de fenouil hachée

dans le zeste et le jus de 2 citrons

¼ de sucre

25 feuilles de basilic

Itinéraire:

Préparez un bain-marie, insérez Sous Vide et réglez à 185F. Placer le fenouil et le sucre dans un sac thermoscellable. Libérez l'air en utilisant la méthode de déplacement d'eau, scellez et plongez le sac dans le bain-marie. Réglez la minuterie sur 40 minutes. Une fois le chronomètre arrêté, retirez et fermez le sac.

Placez le fenouil, le sucre et les autres ingrédients répertoriés dans un mélangeur et réduisez en purée lisse. Conserver dans un contenant à épices et conserver au réfrigérateur jusqu'à une semaine.

Vinaigrette balsamique au miel et à l'oignon

Temps de préparation + cuisson : 1 heure 55 minutes | Portions : 1)

Ingrédients

3 oignons doux, finement hachés

1 cuillère à soupe de beurre

Sel et poivre noir au goût

2 cuillères à soupe de vinaigre balsamique

1 cuillère à soupe de miel

2 cuillères à café de feuilles de thym frais

Itinéraires

Préparez un bain-marie et placez-y le sous vide. Réglez sur 186F.

Faites chauffer une poêle à feu moyen avec du beurre. Ajoutez l'oignon, assaisonnez de sel et de poivre et laissez cuire 10 minutes. Ajoutez le vinaigre balsamique et laissez cuire 1 minute. Retirer du feu et verser le miel.

Placer le mélange dans un sac hermétique. Libérez l'air en utilisant la méthode de déplacement d'eau, scellez et plongez le sac dans le bain-marie. Cuire 90 minutes. Une fois le chronomètre arrêté, retirez le sac et transférez-le dans une assiette. Garnir de thym frais. Servir avec une pizza ou des sandwichs.

Sauce tomate

Temps de préparation + cuisson : 55 minutes | Portions : 4

Ingrédients:

1 boîte (16 oz) de tomates, écrasées

1 petit oignon blanc, coupé en dés

1 tasse de feuilles de basilic frais

1 cuillère à soupe d'huile d'olive

1 gousse d'ail, écrasée

Sel au goût

1 feuille de laurier

1 piment rouge

Itinéraire:

Préparez un bain-marie, insérez Sous Vide et réglez à 185F. Placez tous les ingrédients répertoriés dans un sac thermoscellable sous vide. Libérez l'air en utilisant la méthode de déplacement d'eau, scellez et plongez le sac dans le bain-marie. Réglez la minuterie sur 40 minutes. Une fois le chronomètre arrêté, retirez et fermez le sac. Jetez la feuille de laurier et transférez le reste des ingrédients dans un mélangeur et réduisez en purée lisse. Servir en accompagnement.

Bouillon de Fruits de Mer

Temps de préparation + cuisson : 10 heures 10 minutes |
Portions : 6

Ingrédients:

1 lb de carapaces de crevettes avec têtes et queues

3 tasses d'eau

1 cuillère à soupe d'huile d'olive

2 cuillères à café de sel

2 brins de romarin

½ tête d'ail, écrasée

½ tasse de feuilles de céleri, hachées

Itinéraire:

Préparez un bain-marie, insérez Sous Vide et réglez à 180F.
Mélanger les crevettes avec l'huile d'olive. Placez les crevettes avec
les autres ingrédients indiqués dans un sac thermoscellable.
Libérez l'air, fermez et plongez le sac dans le bain-marie et réglez la
minuterie sur 10 heures.

Soupe de poisson

Temps de préparation + cuisson : 10 heures 15 minutes |
Portions : 4

Ingrédients:

5 tasses d'eau

½ lb de filet de poisson, avec la peau

1 kilo de tête de poisson

5 oignons verts moyens

3 oignons doux

¼ lb d'algues noires (Kombu)

Itinéraire:

Préparez un bain-marie, insérez le Sous Vide et réglez-le à 194 F.
Séparez tous les ingrédients énumérés de manière égale dans 2 sacs
sous vide, pliez le dessus des sacs 2 fois. Placez-les dans le bain-
marie et fixez-les au récipient sous vide. Réglez la minuterie sur 10
heures.

Une fois le minuteur arrêté, retirez les sachets et transférez les
ingrédients dans un bol. Faites bouillir les ingrédients à feu vif
pendant 5 minutes. Mettez-le au réfrigérateur et il peut être utilisé
pendant 14 jours maximum.

Vinaigrette d'asperges à la moutarde

Temps de préparation + cuisson : 30 minutes | Portions : 2

Ingrédients

1 botte de grosses asperges

Sel et poivre noir au goût

¼ tasse d'huile d'olive

1 cuillère à café de moutarde de Dijon

1 cuillère à café d'aneth

1 cuillère à café de vinaigre de vin rouge

1 œuf dur, haché

Persil frais, haché

Itinéraires

Préparez un bain-marie et placez-y le sous vide. Réglez sur 186F.

Coupez le bas des asperges et jetez-le.

Épluchez le bas de la tige et mettez-la dans un sac sous vide. Libérez l'air en utilisant la méthode de déplacement d'eau, scellez et plongez le sac dans le bain-marie. Cuire 15 minutes.

Une fois le chronomètre arrêté, retirez le sac et transférez-le dans un bain de glace. Séparez les jus de cuisson. Pour la vinaigrette, mélanger l'huile d'olive, le vinaigre et la moutarde dans un bol ; bien mélanger. Assaisonner de sel et placer dans un pot Mason. Fermez et secouez bien. Déposer dessus le persil, l'œuf et la vinaigrette.

Matériel végétal

Temps de préparation + cuisson : 12 heures 35 minutes |
Portions : 10)

Ingrédients:

1 ½ tasse de céleri-rave, coupé en dés

1 ½ tasse de poireaux, coupés en dés

½ tasse de fenouil, coupé en dés

4 gousses d'ail, écrasées

1 cuillère à soupe d'huile d'olive

6 tasses d'eau

1 ½ tasse de champignons

½ tasse de persil, haché

1 cuillère à soupe de poivre noir

1 feuille de laurier

Itinéraire:

Préparez un bain-marie, insérez Sous Vide et réglez à 180F.
Préchauffer le four à 450F. Mettre les poireaux, le céleri, le fenouil,
l'ail et l'huile d'olive dans un bol. Jetez-les. Transférez-le sur une
plaque à pâtisserie et mettez-le au four. Cuire au four pendant 20
minutes.

Placer les légumes rôtis dans un sac sous vide avec le jus, l'eau, le persil, le poivre, les champignons et les feuilles de laurier. Libérez l'air, fermez et plongez le sac dans le bain-marie et réglez la minuterie sur 12 heures. Couvrez le bol du bain-marie d'une pellicule plastique pour réduire l'évaporation et faites couler de l'eau dans le bain pour recouvrir les légumes.

Une fois le chronomètre arrêté, retirez et fermez le sac. Filtrez les ingrédients. Laisser refroidir et utiliser congelé jusqu'à 1 mois.

Une fois le chronomètre arrêté, retirez et fermez le sac. Filtrez les ingrédients. Laisser refroidir et utiliser congelé jusqu'à 2 semaines.

Fromage Tabasco Edamame à l'ail

Temps de préparation + cuisson : 1 heure 6 minutes | Portions : 4

Ingrédients

1 cuillère à soupe d'huile d'olive

4 tasses d'edamames frais en cosses

1 cuillère à café de sel

1 gousse d'ail, hachée

1 cuillère à soupe de flocons de piment rouge

1 cuillère à soupe de sauce Tabasco

Itinéraires

Préparez un bain-marie et placez-y le sous vide. Réglez sur 186F.

Faites chauffer une casserole d'eau à feu vif et blanchissez les pots d'edamames pendant 60 secondes. Filtrer et placer dans un bain d'eau glacée. Mélanger l'ail, les flocons de piment rouge, la sauce Tabasco et l'huile d'olive.

Placez les edamames dans un sac thermoscellable. Versez la sauce Tabasco. Libérez l'air en utilisant la méthode de déplacement d'eau, scellez et plongez le sac dans le bain-marie. Cuire 1 heure. Une fois le minuteur arrêté, retirez le sachet, transférez dans un bol et servez.

Purée de pois mange-tout aux herbes

Temps de préparation + cuisson : 55 minutes | Portions : 6

Ingrédients

½ tasse de bouillon de légumes

1 livre de pois mange-tout frais

Zest de 1 citron

2 cuillères à soupe de basilic frais haché

1 cuillère à soupe d'huile d'olive

Sel et poivre noir au goût

2 cuillères à soupe de ciboulette fraîche hachée

2 cuillères à soupe de persil frais haché

¾ cuillère à café de poudre d'ail

Itinéraires

Préparez un bain-marie et placez-y le sous vide. Réglez sur 186F.

Mélangez les petits pois, le zeste de citron, le basilic, l'huile d'olive, le poivre noir, la ciboulette, le persil, le sel et la poudre d'ail et placez-les dans un sac sous vide. Libérez l'air en utilisant la méthode de déplacement d'eau, scellez et plongez le sac dans le bain-marie. Cuire 45 minutes. Une fois le minuteur arrêté, retirez le sachet, transférez dans un mixeur et mélangez bien.

Purée de pommes de terre rôties à la sauge

Temps de préparation + cuisson : 1 heure 35 minutes | Portions : 6

Ingrédients

¼ tasse de beurre

12 patates douces, non pelées

10 gousses d'ail, hachées finement

4 cuillères à café de sel

6 cuillères à soupe d'huile d'olive

5 brins de sauge fraîche

1 cuillère à soupe de paprika

Itinéraires

Préparez un bain-marie et placez-y le sous vide. Réglez sur 192F.

Mélangez les pommes de terre, l'ail, le sel, l'huile d'olive et 2 ou 3 brins de thym et placez-les dans un sac sous vide. Libérez l'air en utilisant la méthode de déplacement d'eau, scellez et plongez le sac dans le bain-marie. Cuire 1 heure et 15 minutes.

Préchauffer le four à 450F. Une fois le minuteur arrêté, retirez les pommes de terre et transférez-les dans un bol. Séparez les jus de cuisson.

Mélangez bien les pommes de terre avec le beurre et le reste de sauge printanière. Transférer sur une plaque à pâtisserie préalablement recouverte de papier d'aluminium. Faites un puits au milieu de la pomme de terre et versez-y le jus de cuisson. Faites cuire les pommes de terre au four pendant 10 minutes, puis retournez-les au bout de 5 minutes. Jetez la sauge. Disposer sur une assiette et servir saupoudré de paprika.

Asperges beurrées au thym et fromage

Temps de préparation + cuisson : 21 minutes | Portions : 6

Ingrédients

¼ tasse de fromage Pecorino Romano en copeaux

16 oz d'asperges fraîches, hachées

4 cuillères à soupe de beurre coupé en dés

Sel au goût

1 gousse d'ail, hachée

1 cuillère à soupe de thym

Itinéraires

Préparez un bain-marie et placez-y le sous vide. Réglez sur 186F.

Placer les asperges dans un sac thermoscellable. Ajoutez les cubes de beurre, l'ail, le sel et le thym. Libérez l'air en utilisant la méthode de déplacement d'eau, scellez et plongez le sac dans le bain-marie. Cuire 14 minutes.

Une fois le minuteur arrêté, retirez le sachet et transférez les asperges dans une assiette. Arroser d'un peu de jus de cuisson. Garnir de fromage Pecorino Romano.

Délicieux panais glacés au miel

Temps de préparation + cuisson : 1 heure 8 minutes | Portions : 4

Ingrédients

1 livre de panais, pelés et hachés

3 cuillères à soupe de beurre

2 cuillères à soupe de miel

1 cuillère à café d'huile d'olive

Sel et poivre noir au goût

1 cuillère à soupe de persil frais haché

Itinéraires

Préparez un bain-marie et placez-y le sous vide. Réglez sur 186F.

Mettre les panais, le beurre, le miel, l'huile d'olive, le sel et le poivre dans un sac sous vide. Libérez l'air en utilisant la méthode de déplacement d'eau, scellez et plongez le sac dans le bain-marie. Cuire 1 heure.

Faites chauffer une poêle à feu moyen. Une fois le minuteur arrêté, retirez le sachet, versez le contenu dans la casserole et laissez cuire 2 minutes jusqu'à ce que le liquide soit glacé. Ajoutez le persil et mélangez rapidement. Sert.

Crème de tomates avec sandwich au fromage

Temps de préparation + cuisson : 55 minutes | Portions : 8)

Ingrédients

½ tasse de fromage à la crème

2 kilos de tomates coupées en tranches

Sel et poivre noir au goût

2 cuillères à soupe d'huile d'olive

2 gousses d'ail, hachées

½ cuillère à café de sauge fraîche hachée

⅛ cuillère à café de flocons de piment rouge

½ cuillère à café de vinaigre de vin blanc

2 cuillères à soupe de beurre

4 tranches de pain

2 tranches de fromage halloumi

Itinéraires

Préparez un bain-marie et placez-y le sous vide. Réglez sur 186F. Placez les tomates dans une passoire au-dessus d'un bol et assaisonnez de sel. Bien mélanger. Laisser refroidir 30 minutes.

Jetez les jus. Mélangez l'huile d'olive, l'ail, la sauge, le poivre noir, le sel et les flocons de poivre.

Placer dans un sac thermoscellable. Libérez l'air en utilisant la méthode de déplacement d'eau, scellez et plongez le sac dans le bain-marie. Cuire 40 minutes.

Une fois le minuteur arrêté, retirez le sachet et transférez-le dans un mixeur. Ajoutez le vinaigre et le fromage à la crème. Mélanger jusqu'à consistance lisse. Disposer sur une assiette et, si nécessaire, ajouter du sel et du poivre.

Pour réaliser les bâtonnets de fromage : Faites chauffer une poêle à feu moyen. Tartinez les tranches de pain de beurre et placez-les dans la poêle. Déposez des tranches de fromage sur le pain et déposez-les sur un autre pain beurré. Faire frire pendant 1 à 2 minutes. Répétez avec le reste du pain. Couper en cubes. Servir sur la soupe chaude.

Salade de betteraves à l'érable, noix de cajou et Queso Fresco

Temps de préparation + cuisson : 1 heure 35 minutes | Portions : 8)

Ingrédients

6 grosses betteraves, pelées et coupées en dés

Sel et poivre noir au goût

3 cuillères à soupe de sirop d'érable

2 cuillères à soupe de beurre

Pelure d'1 grosse orange

1 cuillère à soupe d'huile d'olive

½ cuillère à café de poivre de Cayenne

1½ tasse de noix de cajou

6 tasses de roquette

3 mandarines pelées et coupées en tranches

1 tasse de queso fresco, émietté

Itinéraires

Préparez un bain-marie et placez-y le sous vide. Réglez sur 186F.

Placer les morceaux de carottes dans un sac thermoscellable. Ajoutez du sel et du poivre. Ajoutez 2 cuillères à soupe de sirop d'érable, le beurre et le zeste d'orange. Libérez l'air en utilisant la méthode de déplacement d'eau, scellez et plongez le sac dans le bain-marie. Cuire 1 heure et 15 minutes.

Préchauffer le four à 350F.

Incorporer le reste du sirop d'érable, l'huile d'olive, le sel et le poivre de Cayenne. Ajoutez les noix de cajou et mélangez bien. Placer le mélange de noix de cajou dans une poêle préalablement tapissée de paprika ciré et enfourner pour 10 minutes. Mettre de côté et laisser refroidir.

Une fois le minuteur arrêté, retirez les betteraves et égouttez le jus de cuisson. Disposez la roquette dans une assiette, les tranches de betterave et de mandarine partout. Pour servir, saupoudrer du mélange queso fresco et noix de cajou.

Poivron au fromage et chou-fleur

Temps de préparation + cuisson : 52 minutes | Portions : 5

Ingrédients

½ tasse de fromage Provolone en copeaux

1 tête de chou-fleur, coupée en fleurons

2 gousses d'ail, hachées

Sel et poivre noir au goût

2 cuillères à soupe de beurre

1 cuillère à soupe d'huile d'olive

½ gros poivron rouge, coupé en lanières

½ gros poivron jaune, coupé en lanières

½ gros poivron orange, coupé en lanières

Itinéraires

Préparez un bain-marie et placez-y le sous vide. Réglez sur 186F.

Mélangez bien les fleurons de chou-fleur, 1 gousse d'ail, sel, poivre, la moitié du beurre et la moitié de l'huile d'olive.

Dans un autre bol, mélanger le poivron, le reste de l'ail, le reste du sel, le poivre, le reste du beurre et le reste de l'huile d'olive.

Placez le chou-fleur dans un sac thermoscellable. Placez les poivrons dans un autre sac sous vide. En utilisant la méthode de déplacement d'eau, libérez l'air, scellez et plongez les sacs dans le bain-marie. Cuire 40 minutes.

Une fois le minuteur arrêté, retirez les sachets et versez le contenu dans un bol. Versez le liquide de cuisson. Mélangez les légumes et saupoudrez de fromage Provolone.

Velouté de courge d'automne

Temps de préparation + cuisson : 2 heures 20 minutes | Portions : 6

Ingrédients

¾ tasse de crème épaisse

1 courge d'automne coupée en petits morceaux

1 grosse poire

½ oignon jaune, coupé en dés

3 brins de thym frais

1 gousse d'ail, hachée finement

1 cuillère à café de cumin moulu

Sel et poivre noir au goût

4 cuillères à soupe de crème fraîche

Itinéraires

Préparez un bain-marie et placez-y le sous vide. Réglez sur 186F.

Mélangez la courge, les poires, l'oignon, le thym, l'ail, le cumin et le sel. Placer dans un sac thermoscellable. Libérez l'air en utilisant la méthode de déplacement d'eau, scellez-le et plongez-le dans un bain-marie. Cuire 2 heures.

Une fois le minuteur arrêté, retirez le sachet et transférez son contenu dans un mixeur. Réduire en purée lisse. Ajoutez la crème et mélangez bien. Ajoutez du sel et du poivre. Versez le mélange dans des bols de service et versez dessus un peu de crème fraîche. Garnir de morceaux de poire.

Soupe de pommes de terre au céleri et poireaux

Temps de préparation + cuisson : 2 heures 15 minutes | Portions : 8)

Ingrédients

8 cuillères à soupe de beurre

4 pommes de terre rouges, tranchées

1 oignon jaune, coupé en morceaux de ¼ de pouce

1 branche de céleri, coupée en morceaux d'un demi-pouce

4 tasses de poireaux coupés en dés de ½ pouce, parties blanches seulement

1 tasse de bouillon de légumes

1 carotte, hachée finement

4 gousses d'ail, hachées

2 feuilles de laurier

Sel et poivre noir au goût

2 tasses de crème épaisse

¼ tasse de ciboulette fraîche hachée

Itinéraires

Préparez un bain-marie et placez-y le sous vide. Réglez sur 186F.

Mettre les pommes de terre, les carottes, les oignons, le céleri, les poireaux, le bouillon de légumes, le beurre, l'ail et les feuilles de laurier dans un sac sous vide. Libérez l'air en utilisant la méthode de déplacement d'eau, scellez et plongez le sac dans le bain-marie. Cuire 2 heures.

Une fois le minuteur arrêté, retirez le sachet et transférez-le dans un mixeur. Jetez les feuilles de laurier. Mélanger le contenu, assaisonner de sel et de poivre. Versez lentement la crème et mélangez jusqu'à consistance lisse en 2-3 minutes. Au moment de servir, égouttez le contenu et décorez de ciboulette.

Salade de chou vert au citron et aux bleuets

Temps de préparation + cuisson : 15 minutes | Portions : 6

Ingrédients

6 tasses de légumes verts frais

6 cuillères à soupe d'huile d'olive

2 gousses d'ail, écrasées

4 cuillères à soupe de jus de citron

½ cuillère à café de sel

¾ tasse de canneberges séchées

Itinéraires

Préparez un bain-marie et placez-y le sous vide. Réglez sur 196F.
Mélangez les herbes avec 2 cuillères à soupe d'huile d'olive. Placer
dans un sac thermoscellable. Libérez l'air en utilisant la méthode de
déplacement d'eau, scellez et plongez le sac dans le bain-marie.
Cuire 8 minutes.

Mélangez le reste de l'huile d'olive, l'ail, le jus de citron et le sel. Une
fois le minuteur arrêté, retirez le chou vert et transférez-le dans une
assiette. Arroser de vinaigrette. Garnir de myrtilles.

Maïs aux agrumes et sauce tomate

Temps de préparation + cuisson : 55 minutes | Portions : 8)

Ingrédients

⅓ tasse d'huile d'olive

4 épis de maïs jaune, décortiqués

Sel et poivre noir au goût

1 grosse tomate, hachée

3 cuillères à soupe de jus de citron

2 gousses d'ail, hachées

1 piment serrano épépiné

4 échalotes, parties vertes uniquement, hachées finement

½ bouquet de feuilles de coriandre fraîche hachées

Itinéraires

Préparez un bain-marie et placez-y le sous vide. Réglez sur 186F. Fouetter le maïs avec l'huile d'olive et assaisonner de sel et de poivre. Placez-les dans un sac hermétique. Libérez l'air en utilisant la méthode de déplacement d'eau, scellez et plongez le sac dans le bain-marie. Cuire 45 minutes.

Pendant ce temps, mélangez les tomates, le jus de citron, l'ail, le piment serrano, les oignons verts, la coriandre et le reste de l'huile d'olive dans un bol. Préchauffer un grill à feu vif.

Une fois le minuteur arrêté, retirez le maïs, transférez-le sur le gril et laissez cuire 2-3 minutes. Laissez-le refroidir. Coupez les graines de l'épi et versez dessus la sauce tomate. Servir avec du poisson, de la salade ou des chips tortilla.

Gingembre Tamari Choux de Bruxelles au sésame

Temps de préparation + cuisson : 43 minutes | Portions : 6

Ingrédients

1½ livre de choux de Bruxelles, coupés en deux

2 gousses d'ail, hachées

2 cuillères à soupe d'huile végétale

1 cuillère à soupe de sauce tamari

1 cuillère à café de gingembre râpé

¼ cuillère à café de flocons de piment rouge

¼ cuillère à café d'huile de sésame grillé

1 cuillère à soupe de graines de sésame

Itinéraires

Préparez un bain-marie et placez-y le sous vide. Réglez sur 186F. Faites chauffer une casserole à feu moyen et mélangez l'ail, l'huile végétale, la sauce tamari, le gingembre et les flocons de piment rouge. Cuire 4 à 5 minutes. Vous le mettez de côté, vous l'ignorez.

Placez les choux de Bruxelles dans un sac hermétique et versez-y le mélange de tamari. Libérez l'air en utilisant la méthode de déplacement d'eau, scellez et plongez le sac dans le bain-marie. Cuire 30 minutes.

Une fois le minuteur arrêté, retirez le sachet et essuyez-le avec un torchon. Réservez le jus de cuisson. Transférer les pousses dans un bol et mélanger avec l'huile de sésame. Disposez les pousses dans une assiette et arrosez-les de jus de cuisson. Décorer de graines de sésame.

Salade de betteraves et d'épinards

Temps de préparation + cuisson : 2 heures 25 minutes | Portions : 3

Ingrédients:

1 ¼ tasse de betteraves, parées et coupées en bouchées

1 tasse d'épinards frais, hachés

2 cuillères à soupe d'huile d'olive

1 cuillère à soupe de jus de citron fraîchement pressé

1 cuillère à café de vinaigre balsamique

2 gousses d'ail, écrasées

1 cuillère à soupe de beurre

Sel et poivre noir au goût

Itinéraire:

Rincez et nettoyez bien les betteraves. Coupez-le en bouchées et placez-le dans un sachet sous vide avec le beurre et l'ail écrasé. Cuire sous vide pendant 2 heures à 185F. Laisser refroidir.

Faites bouillir une grande casserole d'eau et ajoutez les épinards. Cuire une minute, puis retirer du feu. Bien égoutter. Transférer dans un sac hermétique et cuire sous vide pendant 10 minutes à 180F. Retirer du bain-marie et laisser refroidir complètement. Placer dans un grand bol et ajouter la betterave cuite. Assaisonner avec du sel, du poivre, du vinaigre, de l'huile d'olive et du jus de citron. Sers immédiatement.

Ail à la menthe verte

Temps de préparation + cuisson : 30 minutes | Portions : 2

Ingrédients:

½ tasse de chicorée fraîche, déchirée

½ tasse d'asperges sauvages, hachées

½ tasse de bette à carde, râpée

¼ tasse de menthe fraîche, hachée

¼ tasse de roquette, déchirée

2 gousses d'ail, hachées

½ cuillère à café de sel

4 cuillères à soupe de jus de citron fraîchement pressé

2 cuillères à soupe d'huile d'olive

Itinéraire:

Remplissez une grande casserole d'eau salée et ajoutez les légumes verts. Cuire 3 minutes. Sortez et égouttez. Appuyez doucement avec vos mains et coupez les légumes verts avec un couteau bien aiguisé. Transférer dans un grand sac scellable sous vide et cuire sous vide pendant 10 minutes à 162F. Retirer du bain-marie et réserver.

Chauffer l'huile d'olive à feu moyen dans une grande poêle. Ajouter l'ail et faire sauter pendant 1 minute. Incorporer les légumes verts et assaisonner de sel. Arrosez de jus de citron frais et servez.

Choux de Bruxelles au vin blanc

Temps de préparation + cuisson : 35 minutes | Portions : 4

Ingrédients:

1 kilo de choux de Bruxelles, coupés

½ tasse d'huile d'olive extra vierge

½ tasse de vin blanc

Sel et poivre noir au goût

2 cuillères à soupe de persil frais, finement haché

2 gousses d'ail, écrasées

Itinéraire:

Placez les choux de Bruxelles dans un grand sac sous vide avec trois cuillères à soupe d'huile d'olive. Cuire sous vide pendant 15 minutes à 180F. Sortez-le du sac.

Faites chauffer le reste de l'huile d'olive dans une grande poêle antiadhésive. Ajouter les choux de Bruxelles, l'ail écrasé, le sel et le poivre. Griller brièvement en secouant la poêle plusieurs fois jusqu'à ce que tous les côtés soient légèrement dorés. Ajouter le vin et porter à ébullition. Bien mélanger et retirer du feu. Saupoudrer le dessus de persil finement haché et servir.

Salade de betteraves et fromage de chèvre

Temps de préparation + cuisson : 2 heures 20 minutes | Portions : 3

Ingrédients:

1 kg de betterave rouge coupée en tranches

½ tasse d'amandes blanchies

2 cuillères à soupe de noisettes pelées

2 cuillères à café d'huile d'olive

1 gousse d'ail, hachée finement

1 cuillère à café de poudre de cumin

1 cuillère à café de zeste de citron

Sel au goût

½ tasse de fromage de chèvre, émietté

Feuilles de menthe fraîche pour la décoration

Pansement:

2 cuillères à soupe d'huile d'olive

1 cuillère à soupe de vinaigre de cidre de pomme

Itinéraire:

Préparez un bain-marie, insérez Sous Vide et réglez à 183F.

Placez les betteraves dans un sac hermétique. Libérez l'air en utilisant la méthode de déplacement d'eau, scellez et plongez le sac dans le bain-marie et réglez la minuterie sur 2 heures. Une fois le chronomètre arrêté, retirez et fermez le sac. Mettez les betteraves de côté.

Placez une poêle sur feu moyen, ajoutez les amandes et les noisettes et faites griller pendant 3 minutes. Placer sur une planche à découper et hacher. Ajouter l'huile dans la même poêle, ajouter l'ail et le cumin. Cuire 30 secondes. Éteignez le chauffage. Ajouter le mélange de fromage de chèvre, d'amandes, de zeste de citron et d'ail dans un bol. Mélanger. Fouetter l'huile d'olive et le vinaigre jusqu'à ce qu'ils soient mousseux, puis réserver. Servir en accompagnement.

Soupe au chou-fleur et au brocoli

Temps de préparation + cuisson : 70 minutes | Portions : 2

Ingrédients:

1 chou-fleur moyen coupé en petits bouquets

½ lb de brocoli, coupé en petits fleurons

1 poivron vert, haché

1 oignon, coupé en dés

1 cuillère à café d'huile d'olive

1 gousse d'ail, écrasée

½ tasse de bouillon de légumes

½ tasse de lait écrémé

Itinéraire:

Préparez un bain-marie, insérez Sous Vide et réglez à 185F.

Placez le chou-fleur, le brocoli, le poivron et l'oignon blanc dans un sac sous vide et versez-y de l'huile d'olive. Libérez l'air en utilisant la méthode de déplacement d'eau et scellez le sac. Plongez le sac dans un bain-marie. Réglez la minuterie sur 50 minutes et faites cuire.

Une fois le chronomètre arrêté, retirez le sac et fermez-le. Placez les légumes dans un mixeur, ajoutez l'ail et le lait, puis réduisez en purée lisse.

Mettez une poêle sur feu moyen, ajoutez la purée de légumes et le jus de légumes et laissez mijoter 3 minutes. Ajoutez du sel et du poivre. Servir chaud en accompagnement.

Petits pois beurre à la menthe

Temps de préparation + cuisson : 25 minutes | Portions : 2

Ingrédients:

1 cuillère à soupe de beurre

½ tasse de pois mange-tout

1 cuillère à soupe de feuilles de menthe hachées

Une pincée de sel

Sucre au goût

Itinéraire:

Préparez un bain-marie, insérez Sous Vide et réglez à 183F. Placer tous les ingrédients dans un sac hermétique. Libérez l'air en utilisant la méthode de déplacement d'eau, scellez et plongez dans le bain. Cuire 15 minutes.

Une fois le chronomètre arrêté, retirez et fermez le sac. Mettez les ingrédients dans une assiette. Servir comme condiment.

Choux de Bruxelles au sirop sucré

Temps de préparation + cuisson : 75 minutes | Portions : 3

Ingrédients:

4 lb de choux de Bruxelles, coupés en deux

3 cuillères à soupe d'huile d'olive

¾ tasse de sauce de poisson

3 cuillères à soupe d'eau

2 cuillères à soupe de sucre

1 ½ cuillères à soupe de vinaigre de riz

2 cuillères à café de jus de citron vert

3 piments rouges, tranchés finement

2 gousses d'ail, hachées

Itinéraire:

Préparez un bain-marie, insérez Sous Vide et réglez à 183F. Versez les choux de Bruxelles, le sel et l'huile dans un sac hermétique, libérez l'air par déplacement d'eau, fermez et plongez le sac dans le bain-marie. Réglez la minuterie sur 50 minutes.

Une fois le minuteur arrêté, retirez le sac, fermez-le et transférez les choux de Bruxelles sur une plaque à pâtisserie tapissée de papier d'aluminium. Préchauffer un gril à feu vif, y placer la plaque à pâtisserie et cuire 6 minutes. Versez les choux de Bruxelles dans un bol.

Préparez la sauce : ajoutez les autres ingrédients de cuisson indiqués dans un bol et mélangez. Ajouter la sauce aux choux de Bruxelles et mélanger uniformément. Servir en accompagnement.

Radis au fromage aux herbes

Temps de préparation + cuisson : 1 heure 15 minutes | Portions : 3

Ingrédients:

10 onces de fromage de chèvre

4 onces de fromage à la crème

¼ tasse de poivron rouge, émincé

3 cuillères à soupe de pesto

3 cuillères à café de jus de citron

2 cuillères à soupe de persil

2 gousses d'ail

9 gros radis, tranchés.

Itinéraire:

Préparez un bain-marie, insérez Sous Vide et réglez à 181F. Placer les tranches de radis dans un sac thermoscellable, libérer l'air et sceller. Plongez le sac dans un bain-marie et réglez la minuterie sur 1 heure.

Mélangez les autres ingrédients énumérés dans un bol et versez dans un sac. Vous le mettez de côté, vous l'ignorez. Une fois le chronomètre arrêté, retirez le sac et fermez-le. Disposez les tranches de radis sur une assiette et étalez le mélange de fromage sur chaque tranche. Servir comme collation.

Chou vapeur balsamique

Temps de préparation + cuisson : 1 heure 45 minutes | Portions : 3

Ingrédients:

1 livre de chou rouge, coupé en quartiers et épépiné

1 échalote, tranchée finement

2 gousses d'ail, tranchées finement

½ cuillère à soupe de vinaigre balsamique

½ cuillère à soupe de beurre non salé

Sel au goût

Itinéraire:

Préparez un bain-marie, insérez Sous Vide et réglez à 185F. Répartissez le chou et les autres ingrédients dans 2 sacs sous vide. Libérez l'air en utilisant la méthode de déplacement d'eau et scellez les sacs. Plongez-les dans un bain-marie et réglez le minuteur sur 1h30.

Une fois le chronomètre arrêté, retirez et scellez les sacs. Disposez le chou dans des assiettes de service avec son jus. Assaisonner avec du sel et du vinaigre au goût. Servir en accompagnement.

Tomates pochées

Temps de préparation + cuisson : 45 minutes | Portions : 3

Ingrédients:

4 tasses de tomates cerises

5 cuillères à soupe d'huile d'olive

½ cuillère à soupe de feuilles de romarin frais, hachées

½ cuillère à soupe de feuilles de thym frais, hachées

Sel et poivre noir au goût

Itinéraire:

Préparez un bain-marie, mettez-y le Sous Vide et réglez-le à 131 F. Répartissez les ingrédients indiqués dans 2 sachets sous vide, assaisonnez de sel et de poivre. Libérez l'air en utilisant la méthode de déplacement d'eau et scellez les sacs. Plongez-les dans un bain-marie et réglez la minuterie sur 30 minutes.

Une fois le chronomètre arrêté, retirez les sacs et scellez-les. Transférez les tomates avec leur jus dans un bol. Servir en accompagnement.

Ratatouille

Temps de préparation + cuisson : 2 heures 10 minutes | Portions : 3

Ingrédients:

2 courgettes, tranchées

2 tomates hachées

2 poivrons rouges épépinés et coupés en cubes de 2 pouces

1 petite aubergine, tranchée

1 oignon, coupé en dés de 1 pouce

Sel au goût

½ flocons de piment rouge

8 gousses d'ail écrasées

2 ½ cuillères à soupe d'huile d'olive

5 brins + 2 brins de feuilles de basilic

Itinéraire:

Préparez un bain-marie, insérez Sous Vide et réglez à 185F. Placez les tomates, les courgettes, l'oignon, le poivron et l'aubergine dans 5 sacs séparés sous vide chacun. Ajoutez l'ail, les feuilles de basilic et 1 cuillère à soupe d'huile d'olive dans chaque sac. Libérez l'air en utilisant la méthode de déplacement d'eau, scellez et plongez les sacs dans le bain-marie et réglez la minuterie sur 20 minutes.

Une fois le chronomètre arrêté, retirez le sac de tomates. Vous le mettez de côté, vous l'ignorez. Réinitialisez la minuterie à 30 minutes. Une fois le chronomètre arrêté, retirez les sachets contenant les courgettes et les poivrons rouges. Vous le mettez de côté, vous l'ignorez. Réinitialisez la minuterie à 1 heure.

Une fois le minuteur arrêté, retirez les sacs restants et jetez les feuilles d'ail et de basilic. Ajoutez les tomates dans un bol et réduisez-les légèrement en purée avec une cuillère. Hachez les légumes restants et ajoutez-les aux tomates. Assaisonner avec du sel, du poivron rouge, du reste de l'huile d'olive et du basilic. Servir en accompagnement.

Soupe à la tomate

Temps de préparation + cuisson : 60 minutes | Portions : 3

Ingrédients:

2 kg de tomates coupées en deux

1 oignon, coupé en dés

1 branche de céleri, haché

3 cuillères à soupe d'huile d'olive

1 cuillère à soupe de purée de tomates

Une pincée de sucre

1 feuille de laurier

Itinéraire:

Préparez un bain-marie, insérez Sous Vide et réglez à 185F. Placez les ingrédients énumérés, à l'exception du sel, dans un bol et mélangez. Placez-les dans un sac hermétique. Libérez l'air en utilisant la méthode de déplacement d'eau, scellez et plongez le sac dans le bain-marie. Réglez la minuterie sur 40 minutes.

Une fois le chronomètre arrêté, retirez le sac et fermez-le. Mixez les ingrédients avec un mixeur. Versez les tomates mixées dans une casserole et placez sur feu moyen. Salez et laissez cuire 10 minutes. Verser la soupe dans des bols et réfrigérer. Servir chaud avec du pain faible en glucides.

Compote de betteraves

Temps de préparation + cuisson : 1 heure 15 minutes | Portions : 3

Ingrédients:

2 betteraves pelées et coupées en tranches de 1 cm

⅓ tasse de vinaigre balsamique

½ cuillère à café d'huile d'olive

⅓ tasse de noix grillées

⅓ tasse de fromage Grana Padano, râpé

Sel et poivre noir au goût

Itinéraire:

Préparez un bain-marie, insérez Sous Vide et réglez à 183F. Mettez les betteraves, le vinaigre et le sel dans un sac sous vide. Libérez l'air en utilisant la méthode de déplacement d'eau, scellez et plongez le sac dans le bain-marie. Réglez la minuterie sur 1 heure.

Une fois le chronomètre arrêté, retirez et fermez le sac. Transférez les betteraves dans un bol, ajoutez l'huile d'olive et mélangez. Saupoudrer les noix et le fromage dessus. Servir en accompagnement.

Aubergine Lasagna

Temps de préparation + cuisson : 3 heures | Portions : 3

Ingrédients:

1 kg d'aubergines pelées et tranchées finement

1 cuillère à café de sel

1 tasse de sauce tomate, divisée en 3 parties

2 dl de mozzarella fraîche, tranchée finement

1 dl de parmesan râpé

2 oz de fromage mélangé italien, râpé

3 cuillères à soupe de basilic frais haché

Télécharger:

½ cuillère à soupe de noix de macadamia, grillées et hachées

1 dl de parmesan râpé

1 oz de fromage mélangé italien, râpé

Itinéraire:

Préparez un bain-marie, insérez Sous Vide et réglez à 183F.
Assaisonnez l'aubergine avec du sel. Placez un sac sous vide sur le
côté, faites une couche de la moitié de l'aubergine, étalez une
cuillerée de sauce tomate, couchez de la mozzarella, puis du
parmesan, puis du mélange de fromage, puis du basilic. Étalez
dessus la deuxième portion de sauce tomate.

Scellez soigneusement le sac en utilisant la méthode de déplacement d'eau, de préférence à plat. Plongez le sac à plat dans le bain-marie. Réglez la minuterie sur 2 heures et faites cuire. Au cours des 30 premières minutes, laissez sortir l'air 2 à 3 fois, car l'aubergine dégage des gaz pendant la cuisson.

Lorsque la minuterie s'est arrêtée, retirez soigneusement le sac et utilisez une aiguille pour piquer un coin du sac afin d'en libérer le liquide. Placez le sachet sur une assiette, coupez le dessus et glissez délicatement les lasagnes sur l'assiette. Garnir du reste de la sauce tomate, des noix de macadamia, du mélange de fromage et du parmesan. Faire fondre et griller le fromage à l'aide d'un chalumeau.

Soupe aux champignons

Temps de préparation + cuisson : 50 minutes | Portions : 3

Ingrédients:

1 kg de champignons mélangés

2 oignons, coupés en dés

3 gousses d'ail

2 brins de persil hachés

2 cuillères à soupe de thym en poudre

2 cuillères à soupe d'huile d'olive

2 tasses de crème

2 tasses de bouillon de légumes

Itinéraire:

Préparez un bain-marie, insérez Sous Vide et réglez à 185F. Placer les champignons, l'oignon et le céleri dans un sac thermoscellable. Libérez l'air en utilisant la méthode de déplacement d'eau, scellez et plongez le sac dans le bain-marie. Réglez la minuterie sur 30 minutes. Une fois le chronomètre arrêté, retirez et fermez le sac.

Mélangez les ingrédients du sachet dans un mixeur. Mettez une poêle sur feu moyen, ajoutez l'huile d'olive. Quand ça commence à chauffer, ajoutez la purée de champignons et le reste des ingrédients, sauf la crème. Cuire 10 minutes. Éteignez le feu et ajoutez la crème. Bien mélanger et servir.

Risotto végétarien au parmesan

Temps de préparation + cuisson : 65 minutes | Portions : 5

Ingrédients:

2 tasses de riz arborio

½ tasse de riz blanc nature

1 tasse de bouillon de légumes

1 tasse d'eau

6 à 8 onces de parmesan, râpé

1 oignon, haché

1 cuillère à soupe de beurre

Sel et poivre noir au goût

Itinéraire:

Préparez un bain-marie et placez-y le sous vide. Réglez à 185F. Faire fondre le beurre dans une poêle à feu moyen. Ajoutez l'oignon, le riz et les épices et laissez cuire quelques minutes. Transférer dans un sac thermoscellable. Libérez l'air en utilisant la méthode de déplacement d'eau, scellez et plongez le sac dans un bain-marie. Réglez la minuterie sur 50 minutes. Une fois le minuteur arrêté, retirez le sac et incorporez le parmesan.

Soupe verte

Temps de préparation + cuisson : 55 minutes | Portions : 3

Ingrédients:

4 tasses de bouillon de légumes

1 cuillère à soupe d'huile d'olive

1 gousse d'ail, écrasée

1 pouce de gingembre, tranché

1 cuillère à café de coriandre en poudre

1 grosse courgette, coupée en dés

3 tasses de chou frisé

2 tasses de brocoli, coupé en fleurons

1 citron vert, jus et zeste

Itinéraire:

Préparez un bain-marie, insérez Sous Vide et réglez à 185F. Placez le brocoli, la courgette, le chou frisé et le persil dans un sac sous vide. Libérez l'air en utilisant la méthode de déplacement d'eau, scellez et plongez le sac dans le bain-marie. Réglez la minuterie sur 30 minutes.

Une fois le chronomètre arrêté, retirez et fermez le sac. Placez les ingrédients cuits à la vapeur avec l'ail et le gingembre dans un mixeur. Réduire en purée lisse. Versez la purée verte dans un récipient et ajoutez les autres ingrédients indiqués. Placer la casserole sur feu moyen et laisser mijoter 10 minutes. Servir comme un repas léger.

Soupe de légumes mélangés

Temps de préparation + cuisson : 55 minutes | Portions : 3

Ingrédients:

1 oignon doux, tranché

1 cuillère à café de poudre d'ail

2 tasses de courgettes, coupées en petits cubes

3 onces de zeste de parmesan

2 tasses de bébés épinards

2 cuillères à soupe d'huile d'olive

1 cuillère à café de flocons de piment rouge

2 tasses de bouillon de légumes

1 branche de romarin

Sel au goût

Itinéraire:

Préparez un bain-marie, insérez Sous Vide et réglez à 185F. Mélanger tous les ingrédients sauf l'ail et le sel avec de l'huile d'olive et placer dans un sac hermétique. Libérez l'air en utilisant la méthode de déplacement d'eau, scellez et plongez le sac dans le bain-marie. Réglez la minuterie sur 30 minutes.

Une fois le chronomètre arrêté, retirez et fermez le sac. Jetez le romarin. Versez le reste des ingrédients dans un bol, ajoutez le sel et la poudre d'ail. Placer la casserole sur feu moyen et laisser mijoter 10 minutes. Servir comme un repas léger.

Wontons végétariens au paprika fumé

Temps de préparation + cuisson : 5 heures 15 minutes | Portions : 9)

Ingrédients:

10 oz de wraps wonton

10 onces de légumes de votre choix, râpés

2 oeufs

1 cuillère à café d'huile d'olive

½ cuillère à café de poudre de chili

½ cuillère à café de paprika fumé

½ cuillère à café de poudre d'ail

Sel et poivre noir au goût

Itinéraire:

Préparez un bain-marie et placez-y le sous vide. Réglez sur 165F.

Battez l'œuf avec les épices. Incorporer les légumes et l'huile. Versez le mélange dans un sac thermoscellable - Libérez l'air par la méthode de déplacement d'eau, fermez et plongez le sac dans un bain-marie. Réglez la minuterie sur 5 heures.

Une fois le chronomètre arrêté, retirez le sac et transférez-le dans un bol. Répartissez le mélange entre les raviolis, enveloppez-les et pressez les bords ensemble. Cuire dans l'eau bouillante à feu moyen pendant 4 minutes.

Plat Miso quinoa et céleri

Temps de préparation + cuisson : 2 heures 25 minutes | Portions : 6

Ingrédients

1 céleri, haché

1 cuillère à soupe de pâte miso

6 gousses d'ail

5 brins de thym

1 cuillère à café de poudre d'oignon

3 cuillères à soupe de fromage ricotta

1 cuillère à soupe de graines de moutarde

Jus d'un quart de gros citron

5 tomates cerises hachées grossièrement

Persil haché

8 onces de beurre végétalien

8 onces de quinoa cuit

Itinéraires

Préparez un bain-marie et placez-y le sous vide. Réglez sur 186F.

Pendant ce temps, faites chauffer une poêle à feu moyen et ajoutez l'ail, le thym et les graines de moutarde. Cuire environ 2 minutes.

Ajouter le beurre et remuer jusqu'à ce qu'il soit doré. Mélanger avec la poudre d'oignon et réserver. Laisser refroidir à température ambiante. Placez le céleri dans un sac thermoscellable. Libérez l'air en utilisant la méthode de déplacement d'eau, scellez et plongez le sac dans le bain-marie. Cuire 2 heures.

Une fois le minuteur arrêté, retirez le sac, transférez-le dans une casserole et remuez jusqu'à ce qu'il soit doré. Assaisonner de miso. Vous le mettez de côté, vous l'ignorez. Faites chauffer une poêle à feu moyen, ajoutez les tomates, la moutarde et le quinoa. Mélanger avec le jus de citron et le persil. Mélangez le céleri et les tomates et servez.

Salade de radis et basilic

Temps de préparation + cuisson : 50 minutes | Portions : 2

Ingrédients:

20 petits radis, coupés

1 cuillère à soupe de vinaigre de vin blanc

¼ tasse de basilic haché

½ tasse de fromage feta

1 cuillère à café de sucre

1 cuillère à soupe d'eau

¼ cuillère à café de sel

Itinéraire:

Préparez un bain-marie et placez-y le sous vide. Réglez sur 200F.
Placez les radis dans un grand sac sous vide et ajoutez le vinaigre,
le sucre, le sel et l'eau. Secouons-le. Libérez l'air en utilisant la
méthode de déplacement d'eau, scellez-le et plongez-le dans un
bain-marie. Cuire 30 minutes. Une fois le chronomètre arrêté,
retirez le sachet et laissez-le refroidir dans un bain de glace. Servir
chaud. Servir garni de basilic et de feta.

Mélange de paprika

Temps de préparation + cuisson : 35 minutes | Portions : 2

Ingrédients:

1 poivron rouge, haché

1 poivron jaune, haché

1 poivron vert, haché

1 gros poivron orange, haché

Sel au goût

Itinéraire:

Préparez un bain-marie, insérez Sous Vide et réglez à 183F. Placer tous les poivrons avec le sel dans un sac thermoscellable. Libérez l'air en utilisant la méthode de déplacement d'eau, scellez et plongez dans le bain-marie. Réglez la minuterie sur 15 minutes. Une fois le chronomètre arrêté, retirez et fermez le sac. Servir le poivron avec son jus en accompagnement.

Quinoa coriandre curcuma

Temps de préparation + cuisson : 105 minutes | Portions : 6

Ingrédients:

3 tasses de quinoa

2 tasses de crème épaisse

½ tasse d'eau

3 cuillères à soupe de feuilles de coriandre

2 cuillères à café de poudre de curcuma

1 cuillère à soupe de beurre

½ cuillère à soupe de sel

Itinéraire:

Préparez un bain-marie et placez-y le sous vide. Réglez à 180F.

Placer tous les ingrédients dans un sac hermétique. Bien mélanger. Libérez l'air en utilisant la méthode de déplacement d'eau, scellez et plongez le sac dans un bain-marie. Réglez la minuterie sur 90 minutes. Une fois le chronomètre arrêté, retirez le sac. Servir chaud.

Haricots blancs à l'origan

Temps de préparation + cuisson : 5 heures 15 minutes | Portions : 8

Ingrédients:

12 onces de haricots blancs

1 tasse de purée de tomates

8 onces de bouillon de légumes

1 cuillère à soupe de sucre

3 cuillères à soupe de beurre

1 tasse d'oignon haché

1 poivron, haché

1 cuillère à soupe d'origan

2 cuillères à café de paprika

Itinéraire:

Préparez un bain-marie et placez-y le sous vide. Réglez à 185F.

Mélanger tous les ingrédients dans un sac thermoscellable. Mélanger. Libérez l'air en utilisant la méthode de déplacement d'eau, scellez et plongez le sac dans un bain-marie. Réglez la minuterie sur 5 heures. Une fois le chronomètre arrêté, retirez le sac. Servir chaud.

Salade de pommes de terre et dattes

Temps de préparation + cuisson : 3 heures 15 minutes | Portions : 6

Ingrédients:

2 kilos de pommes de terre coupées en cubes

5 onces de dattes hachées

½ tasse de fromage de chèvre émietté

1 cuillère à café d'origan

1 cuillère à soupe d'huile d'olive

1 cuillère à soupe de jus de citron

3 cuillères à soupe de beurre

1 cuillère à café de coriandre

1 cuillère à café de sel

1 cuillère à soupe de persil haché

¼ cuillère à café de poudre d'ail

Itinéraire:

Préparez un bain-marie et placez-y le sous vide. Réglez à 190F.

Placer les pommes de terre, le beurre, les dattes, l'origan, la coriandre et le sel dans un sac thermoscellable. Libérez l'air en utilisant la méthode de déplacement d'eau, scellez et plongez le sac dans un bain-marie. Réglez la minuterie sur 3 heures.

Une fois le chronomètre arrêté, retirez le sac et transférez-le dans un bol. Mélangez l'huile d'olive, le jus de citron, le persil et la poudre d'ail et arrosez la salade. Si vous utilisez du fromage, saupoudrez-le dessus.

Gruau de paprika

Temps de préparation + cuisson : 3 heures 10 minutes | Portions :
4

Ingrédients:

10 onces de semoule

4 cuillères à soupe de beurre

1 ½ cuillères à café de paprika

10 onces d'eau

½ cuillère à café de sel d'ail

Itinéraire:

Préparez un bain-marie et placez-y le sous vide. Réglez à 180F.

Placer tous les ingrédients dans un sac hermétique. Mélanger avec une cuillère pour bien mélanger. Libérez l'air en utilisant la méthode de déplacement d'eau, scellez et plongez le sac dans un bain-marie. Réglez la minuterie sur 3 heures. Une fois le chronomètre arrêté, retirez le sac. Répartir dans 4 bols de service.

Mélange de légumes raisin

Préparation + temps de cuisson 105 minutes | Portions : 9)

Ingrédients:

8 patates douces, tranchées

2 oignons rouges, tranchés

4 onces de tomates, en purée

1 cuillère à café d'ail émincé

Sel et poivre noir au goût

1 cuillère à café de jus de raisin

Itinéraire:

Préparez un bain-marie et placez-y le sous vide. Réglez sur 183F. Placez tous les ingrédients dans un sac sous vide avec ¼ tasse d'eau. Libérez l'air en utilisant la méthode de déplacement d'eau, scellez et plongez le sac dans un bain-marie. Réglez la minuterie sur 90 minutes. Une fois le chronomètre arrêté, retirez le sac. Servir chaud.

Plat de pois chiches et champignons à la menthe

Temps de préparation + cuisson : 4 heures 15 minutes | Portions : 8

Ingrédients:

9 onces de champignons

3 tasses de soupe aux légumes

1 kilo de pois chiches trempés toute une nuit et égouttés

1 cuillère à café de beurre

1 cuillère à café de paprika

1 cuillère à soupe de moutarde

2 cuillères à soupe de jus de tomate

1 cuillère à café de sel

¼ tasse de menthe hachée

1 cuillère à soupe d'huile d'olive

Itinéraire:

Préparez un bain-marie et placez-y le sous vide. Réglé à 195F. Placer le bouillon et les pois chiches dans un sac thermoscellable. Libérez l'air en utilisant la méthode de déplacement d'eau, scellez et plongez le sac dans un bain-marie. Réglez la minuterie sur 4 heures.

Une fois le chronomètre arrêté, retirez le sac. Chauffer l'huile dans une poêle à feu moyen. Ajouter les champignons, le jus de tomate, le paprika, le sel et la moutarde. Cuire 4 minutes. Égouttez les pois chiches et mettez-les dans la poêle. Cuire encore 4 minutes. Incorporer le beurre et la menthe.

Caponata aux légumes

Temps de préparation + cuisson : 2 heures 15 minutes | Portions : 4

Ingrédients:

4 boîtes de tomates italiennes, écrasées

2 poivrons, tranchés

2 courgettes, tranchées

½ oignon, tranché

2 aubergines, tranchées

6 gousses d'ail, émincées

2 cuillères à soupe d'huile d'olive

6 feuilles de basilic

Sel et poivre noir au goût

Itinéraire:

Préparez un bain-marie et placez-y le sous vide. Réglez à 185F. Mélanger tous les ingrédients dans un sac thermoscellable. Libérez l'air en utilisant la méthode de déplacement d'eau, scellez et plongez le sac dans un bain-marie. Réglez la minuterie sur 2 heures. Une fois le minuteur arrêté, transférer dans une assiette.

Bette à carde braisée au citron vert

Temps de préparation + cuisson : 25 minutes | Portions : 2

2 livres de bette à carde

4 cuillères à soupe d'huile d'olive extra vierge

2 gousses d'ail, écrasées

1 citron vert entier, jus

2 cuillères à café de sel marin

Itinéraire:

Rincez soigneusement les blettes et égouttez-les dans une passoire. Hacher grossièrement avec un couteau bien aiguisé et transférer dans un grand bol. Mélanger 4 cuillères à soupe d'huile d'olive, l'ail écrasé, le jus de citron vert et le sel marin. Transférer dans un grand sac sous vide et sceller. Cuire sous vide pendant 10 minutes à 180 F.

Purée de légumes-racines

Temps de préparation + cuisson : 3 heures 15 minutes | Portions : 4

Ingrédients:

2 panais, pelés et hachés

1 navet, pelé et haché

1 grosse patate douce, pelée et hachée

1 cuillère à soupe de beurre

Sel et poivre noir au goût

Une pincée de muscade

¼ cuillère à café de thym

Itinéraire:

Préparez un bain-marie et placez-y le sous vide. Réglez à 185F. Placez les légumes dans un sac thermoscellable. Libérez l'air en utilisant la méthode de déplacement d'eau, scellez et plongez dans un bain-marie. Cuire pendant 3 heures. Lorsque vous êtes prêt, retirez le sac et écrasez les légumes avec un presse-purée. Incorporer les autres ingrédients.

Chou et poivrons à la sauce tomate

Temps de préparation + cuisson : 4 heures 45 minutes | Portions : 6

Ingrédients:

2 kilos de chou, tranché

1 tasse de poivrons tranchés

1 tasse de purée de tomates

2 oignons, tranchés

1 cuillère à soupe de sucre

Sel et poivre noir au goût

1 cuillère à soupe de coriandre

1 cuillère à soupe d'huile d'olive

Itinéraire:

Préparez un bain-marie et placez-y le sous vide. Réglez sur 184F.

Placer le chou et l'oignon dans un sachet sous vide et assaisonner avec les épices. Ajoutez le concentré de tomate et mélangez bien. Libérez l'air en utilisant la méthode de déplacement d'eau, scellez et plongez le sac dans un bain-marie. Réglez la minuterie sur 4 heures et 30 minutes. Une fois le chronomètre arrêté, retirez le sac.

Plat de lentilles et tomates à la moutarde

Temps de préparation + cuisson : 105 minutes | Portions : 8

Ingrédients:

2 tasses de lentilles

1 boîte de tomates concassées, non égouttées

1 tasse de pois verts

3 tasses de bouillon de légumes

3 tasses d'eau

1 oignon, haché

1 carotte, tranchée

1 cuillère à soupe de beurre

2 cuillères à soupe de moutarde

1 cuillère à café de flocons de piment rouge

2 cuillères à soupe de jus de citron vert

Sel et poivre noir au goût

Itinéraire:

Préparez un bain-marie et placez-y le sous vide. Réglez sur 192F. Placer tous les ingrédients dans un grand sac hermétique. Libérez l'air en utilisant la méthode de déplacement d'eau, scellez-le et plongez-le dans le bain. Cuire 90 minutes. Une fois le minuteur arrêté, retirez le sac, transférez-le dans un grand bol et remuez avant de servir.

Riz pilaf au poivre et aux raisins secs

Temps de préparation + cuisson : 3 heures 10 minutes | Portions : 6

Ingrédients:

2 tasses de riz blanc

2 tasses de bouillon de légumes

⅔ tasse d'eau

3 cuillères à soupe de raisins secs hachés

2 cuillères à soupe de crème sure

½ tasse d'oignon rouge haché

1 poivron, haché

Sel et poivre noir au goût

1 cuillère à café de thym

Itinéraire:

Préparcz un bain-marie et placez-y le sous vide. Réglez à 180F.

Placer tous les ingrédients dans un sac hermétique. Bien mélanger. Libérez l'air en utilisant la méthode de déplacement d'eau, scellez et plongez le sac dans un bain-marie. Réglez la minuterie sur 3 heures. Une fois le chronomètre arrêté, retirez le sac. Servir chaud.

Soupe de cumin au yaourt

Temps de préparation + cuisson : 2 heures 20 minutes | Portions : 4

Ingrédients

1 cuillère à soupe d'huile d'olive

1½ cuillères à café de cumin

1 oignon moyen, coupé en dés

1 poireau coupé en deux et émincé

Sel au goût

2 kilos de carottes hachées

1 feuille de laurier

3 tasses de soupe aux légumes

½ tasse de yaourt au lait entier

Vinaigre de pomme

Feuilles d'aneth fraîches

Itinéraires

Préparez un bain-marie et placez-y le sous vide. Réglez sur 186F. Faites chauffer l'huile d'olive dans une grande poêle à feu moyen et ajoutez les graines de cumin. Faites-les frire pendant 1 minute. Ajouter l'oignon, le sel et le poireau et faire sauter pendant 5 à 7 minutes ou jusqu'à ce qu'ils soient ramollis. Mélanger l'oignon, le laurier, la carotte et 1/2 cuillère à soupe de sel dans un grand bol.

Répartissez le mélange dans un sac hermétique. Libérez l'air en utilisant la méthode de déplacement d'eau, scellez et plongez le sac dans le bain-marie. Cuire 2 heures.

Une fois le minuteur arrêté, retirez le sachet et versez dans un bol. Ajoutez la soupe de légumes et mélangez. Incorporer le yaourt. Assaisonnez la soupe avec du sel et du vinaigre et servez avec les feuilles d'aneth.

Courge d'été au beurre

Temps de préparation + cuisson : 1 heure 35 minutes | Portions : 4

Ingrédients

2 cuillères à soupe de beurre

¾ tasse d'oignon, haché

1½ kilos de courges d'été, tranchées

Sel et poivre noir au goût

½ tasse de lait entier

2 gros œufs entiers

½ tasse de croustilles nature émiettées

Itinéraires

Préparez un bain-marie et placez-y le sous vide. Réglé à 175F

Pendant ce temps, graissez quelques bocaux. Faites chauffer une grande poêle à feu moyen et faites fondre le beurre. Ajouter l'oignon et laisser mijoter 7 minutes. Ajoutez le potiron, assaisonnez de sel et de poivre et faites revenir 10 minutes. Répartissez le mélange dans les bocaux. Laisser refroidir et réserver.

Battez le lait, le sel et les œufs dans un bol. Assaisonner de poivre. Versez le mélange dans les bocaux, fermez-les et plongez-les dans un bain-marie. Cuire 60 minutes. Une fois le minuteur arrêté, retirez les bocaux et laissez-les refroidir 5 minutes. Servir sur des chips.

Chutney de curry, gingembre et nectarine

Temps de préparation + cuisson : 60 minutes | Portions : 3

Ingrédients

½ tasse de sucre cristallisé

½ tasse d'eau

¼ tasse de vinaigre de vin blanc

1 gousse d'ail, hachée

¼ tasse d'oignon blanc, finement haché

Jus d'1 citron vert

2 cuillères à café de gingembre frais râpé

2 cuillères à café de curry en poudre

Une pincée de flocons de piment rouge

Sel et poivre noir au goût

Flocons de paprika au goût

4 grosses nectarines, coupées en tranches

¼ tasse de basilic frais haché

Itinéraires

Préparez un bain-marie et placez-y le sous vide. Réglez sur 168F.

Faites chauffer une poêle à feu moyen et mélangez l'eau, le sucre, le vinaigre de vin blanc et l'ail. Remuer jusqu'à ce que le sucre ramollisse. Ajouter le jus de citron vert, l'oignon, la poudre de curry, le gingembre et les flocons de piment rouge. Assaisonner avec du sel et du poivre noir. Bien mélanger. Placer le mélange dans un sac hermétique. Libérez l'air en utilisant la méthode de déplacement d'eau, scellez et plongez le sac dans le bain-marie. Cuire 40 minutes.

Une fois le chronomètre arrêté, retirez le sac et placez-le dans un bain de glace. Transférez la nourriture dans une assiette de service. Garnir de basilic.

Pommes de terre Russet confites au romarin

Temps de préparation + cuisson : 1 heure 15 minutes | Portions : 4

Ingrédients

1 kilo de pommes de terre brunes, coupées en petits morceaux

Sel au goût

¼ cuillère à café de poivre blanc moulu

1 cuillère à café de romarin frais haché

2 cuillères à soupe de beurre entier

1 cuillère à soupe d'huile de maïs

Itinéraires

Préparez un bain-marie et placez-y le sous vide. Réglez sur 192F. Assaisonnez les pommes de terre avec du romarin, du sel et du poivre. Mélangez les pommes de terre avec le beurre et l'huile. Placer dans un sac thermoscellable. Libérez l'air en utilisant la méthode de déplacement d'eau, scellez et plongez le sac dans le bain-marie. Cuire 60 minutes. Une fois le minuteur arrêté, retirez le sac et transférez-le dans un grand bol. Garnir de beurre et servir.

Curry poire et crème de coco

Temps de préparation + cuisson : 1 heure 10 minutes | Portions : 4

Ingrédients

2 poires évidées, pelées et tranchées

1 cuillère à soupe de curry en poudre

2 cuillères à soupe de crème de coco

Itinéraires

Préparez un bain-marie et placez-y le sous vide. Réglez sur 186F.

Mélangez tous les ingrédients ensemble et placez-les dans un sac hermétique. Libérez l'air en utilisant la méthode de déplacement d'eau, scellez et plongez le sac dans le bain-marie. Cuire 60 minutes. Une fois le minuteur arrêté, retirez le sac et transférez-le dans un grand bol. Répartir dans des assiettes et servir.

Purée de brocoli moelleuse

Temps de préparation + cuisson : 2 heures 15 minutes | Portions : 4

Ingrédients

1 tête de brocoli coupée en fleurons

½ cuillère à café de poudre d'ail

Sel au goût

1 cuillère à soupe de beurre

1 cuillère à soupe de crème fouettée épaisse

Itinéraires

Préparez un bain-marie et placez-y le sous vide. Réglez sur 183F. Mélangez le brocoli, le sel, la poudre d'ail et la crème épaisse. Placer dans un sac thermoscellable. Libérez l'air en utilisant la méthode de déplacement d'eau, scellez et plongez le sac dans le bain-marie. Cuire 2 heures.

Une fois le minuteur arrêté, retirez le sac et transférez-le dans un mélangeur pour pulser. Assaisonner et servir.

Délicieux chutney à base de dattes et de mangue

Temps de préparation + cuisson : 1 heure 45 minutes | Portions : 4

Ingrédients

2 kilos de mangue hachée

1 petit oignon, coupé en dés

½ tasse de cassonade légère

¼ tasse de dattes

2 cuillères à soupe de vinaigre de cidre de pomme

2 cuillères à soupe de jus de citron fraîchement pressé

1½ cuillères à café de graines de moutarde jaune

1½ cuillères à café de graines de coriandre

Sel au goût

¼ cuillère à café de curry en poudre

¼ cuillère à café de curcuma séché

⅛ cuillère à café de poivre de Cayenne

Itinéraires

Préparez un bain-marie et placez-y le sous vide. Réglez sur 183F.

Mélanger tous les ingrédients. Placer dans un sac thermoscellable. Libérez l'air en utilisant la méthode de déplacement d'eau, scellez et plongez le sac dans le bain-marie. Cuire 90 minutes. Une fois le chronomètre arrêté, retirez le sachet et versez-le dans un récipient.

Milton Keynes UK
Ingram Content Group UK Ltd.
UKHW020803241123
433194UK00016B/994